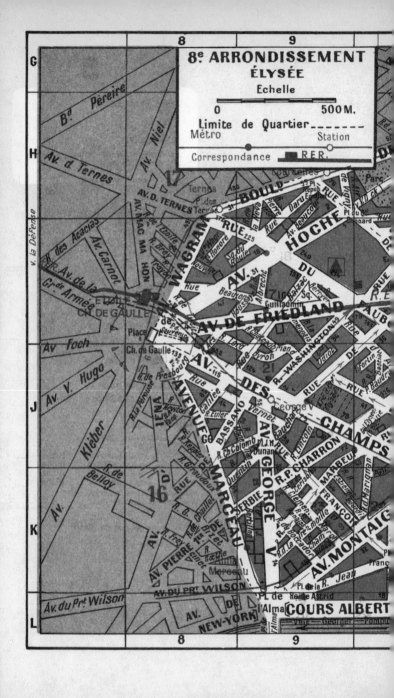

«Corrida auf den Champs-Élysées» spielt im 8. Arrondissement von Paris. Sein Job als Leibwächter einer Filmdiva erscheint Privatdetektiv Nestor Burma ziemlich langweilig. Aber der erste Eindruck trügt.

Léo Malet, geboren am 7. März 1909 in Montpellier, wurde dort Bankangestellter, ging in jungen Jahren nach Paris, schlug sich dort unter dem Einfluß der Surrealisten als Chansonnier und «Vagabund» durch und begann zu schreiben. Zu seinen Förderern gehörte auch Paul Éluard. Eines von Malets Gedichten trägt den bezeichnenden Titel «Brüll das Leben an». Der Zyklus seiner Kriminalromane um den Privatdetektiv Nestor Burma – mit der reizvollen Idee, jede Folge in einem anderen Pariser Arrondissement spielen zu lassen – wurde bald zur Legende. René Magritte schrieb Malet, er habe den Surrealismus in den Kriminalroman hinübergerettet. «Während in Amerika der Privatdetektiv immer auch etwas Missionarisches an sich hat und seine Aufträge als Feldzüge, sich selbst als einzige Rettung begreift, gleichsam stellvertretend für Gott und sein Land, ist die gallische Variante, wie sie sich in Burma widerspiegelt, weitaus gelassener, auf spöttische Art eigenbrötlerisch, augenzwinkernd jakobinisch. Er ist Individualist von Natur aus und ganz selbstverständlich, ein geselliger Anarchist, der sich nicht von der Welt zurückzuziehen braucht, weil er sie – und sie ihn – nicht versteht. Wo Marlowe und Konsorten die Einsamkeit der Whisky-Flasche suchen, geht Burma ins nächste Bistro und streift durch die Gassen.» («Rheinischer Merkur») 1948 erhielt Malet den «Grand Prix du Club des Détectives», 1958 den «Großen Preis des schwarzen Humors». Mehrere seiner Kriminalromane wurden auch verfilmt; unter anderen spielte Michel Serrault den Detektiv Burma.

In der Reihe der rororo-Taschenbücher liegen bereits vor: «Bilder bluten nicht» (Nr. 12592), «Stoff für viele Leichen» (Nr. 12593), «Marais-Fieber» (Nr. 12684), «Spur ins Ghetto» (Nr. 12685), «Bambule am Boul' Mich'» (Nr. 12769) und «Die Nächte von St. Germain» (Nr. 12770).

Léo Malet

Corrida auf den Champs-Élysées

Krimi aus Paris

Aus dem Französischen
von Hans-Joachim Hartstein

Rowohlt

Malets Geheimnisse von Paris

Les Nouveaux Mystères de Paris

Herausgegeben von
Pierrette Letondor und Peter Stephan

8. Arrondissement

Veröffentlicht im Rowohlt Taschenbuch Verlag GmbH,
Reinbek bei Hamburg, Dezember 1990
Copyright © der deutschen Übersetzung 1986 by
Elster Verlag GmbH, Bühl-Moos
Copyright © der Originalausgabe 1982 by
«Édition Fleuve Noir», Paris
Abdruck der Karten mit freundlicher Genehmigung
der Éditions L'INDISPENSABLE, Paris
Umschlagillustration Detlef Surrey
Umschlagtypographie Walter Hellmann
Gesamtherstellung Clausen & Bosse, Leck
Printed in Germany
780-ISBN 3 499 12436 x

1.

Die Narbe an der Brust

Marc Covet, der trinkfreudige Journalist, saß vor einem großen Glas mit bernsteinfarbener Flüssigkeit, in dem mehrere Eiswürfel klirrten. Ich stand auf, durchquerte den weitläufigen luxuriösen Raum, Pfeife im Mund. Was für ein Vergnügen, mit meinen plebejischen Füßen über den vornehmen Teppich zu latschen. Ich trat hinaus auf den Balkon.

Die Julisonne überflutete die Champs-Elysées. Ununterbrochen zog unten der Strom glänzender Limousinen vorbei. Die breiten Bürgersteige waren schwarz von Menschen. Auf der Terrasse des Fouquet's gegenüber saßen dichtgedrängt die Gäste. Der Arc de Triomphe oben an der Avenue sträubte sich von Touristen. Bäume, Menschen, Dinge, alles strahlte Lebensfreude aus. Vier Etagen unter mir, genau vor dem Cosmopolitan-Hôtel, befand sich seit kurzem eine Baustelle und bewies mal wieder, daß Paris ständig von irgendwelchen Straßenbauarbeiten aufgewühlt wird. Aber sogar der Arbeiter, der Sandsäcke hin und her karrte, schien an der allgemeinen Heiterkeit teilzuhaben. Offensichtlich ist es angenehmer, auf den Champs-Elysées zu schuften als in Ménilmuche, auch wenn dabei nur ein leicht neugieriger Blick einer schönen Spaziergängerin abfällt. Wenn man schon an der Spitzhacke oder unter schweren Lasten schwitzen muß, dann am besten doch da, wo man zwischendurch hübsche Wäsche zu Gesicht bekommt!

Ich ging wieder zurück zu Marc Covet und goß mir ebenfalls was zu trinken ein.

Tja! Sie war abgereist. Ich würde sie ganz sicher nie mehr wiedersehen. *Never more*, wie es in ihrer Sprache heißt. Ihr

7

Parfüm hing noch immer im Raum, aber bald würde auch das verflogen sein. Ich hob resigniert die Schultern. Der Redakteur des *Crépuscule* sah mich mit seinen wässrigen Augen an.

„Haben Sie ihr Angst eingejagt?" fragte er.

„Wem?"

„Was meinen Sie wohl, von wem ich spreche? Von Miss Graisse Standford natürlich!"

„Grace", verbesserte ich. „Imitieren Sie bitte nicht auch noch diese verdammten Radioansager. Ich spreche den Namen so aus, wie er geschrieben wird. Das hört sich... graziöser an."

„Hm, stimmt."

„Ich hab ihr keine Angst eingejagt. Sie mußte ganz plötzlich zurück nach Hollywood."

„Und jetzt sind Sie völlig aufgeschmissen?"

„Allerdings."

Ich leerte mein Glas und befreite einen Sessel von Magazinen in allen Sprachen, von deren Titelseiten mir Miss Grace Standford, der Weltstar, freundlich zulächelte. Dann setzte ich mich, lockerte meine Krawatte und wischte mir den Schweiß ab.

„Sie sind nicht zufällig verliebt in sie?" begann Marc Covet wieder.

„Verdammt!" lachte ich. „Sieht ganz so aus. Was soll's, man kann nicht bis ans Ende seiner Tage originell bleiben! Außerdem sind zusammen mit mir nie mehr als zehn Millionen andere in sie verknallt, stimmt's? Daß mir das aber nicht in Ihrer Klatschspalte steht, Covet, ja?"

„Hören Sie, Burma. Über diese Amerikanerin und die ganze Bande hab ich schon genug zusammengeschmiert. Mein Chefredakteur will keine Zeile mehr davon sehen. Also, keine Sorge..."

Der Journalist goß sich was nach und nahm einen Schluck.

„... Wie lange waren Sie eigentlich Ihr Leibwächter? Als ich Sie in Cannes getroffen hab, beim Filmfestival, haben Sie angefangen, oder?"

„Seit dem 8. März hielt sie sich inkognito in Paris auf."

„Gut drei Monate also", rechnete Covet. Als Pariser Chronist ist er der geborene Buchhalter. „Drei Monate also…"

„Jetzt reicht's aber", fuhr ich dazwischen. „Reden wir von was anderem. So schlimm ist es auch nicht. Hat mich 'n bißchen erwischt, mehr nicht. Kein Grund für so'n Theater. War nicht drauf gefaßt, daß sie sich so schnell aus dem Staub machen würde. Ich dachte, noch so ein oder zwei Monate… aber sie wurde dringend nach Hollywood gerufen, wie schon gesagt. Und deshalb ist sie gestern abgereist."

„Und jetzt sind Sie wieder auf Arbeitssuche…"

„Oh! So eilig hab ich's nicht. Werd erst mal Ferien machen. Dazu bin ich schon lange nicht mehr gekommen. Die Agentur Fiat Lux hat Ruh. Hélène ist bei ihrer Familie in der Provinz. Ich bin mutterseelenallein."

„Fahren Sie zu Hélène!"

„In das verlassene Nest? Was hat Ihnen meine Sekretärin getan, daß Sie ihren Ruf so gründlich ruinieren wollen?"

„Wo werden Sie denn dann Ferien machen?"

„Hier. Ich liebe Paris, kann mich kaum von seinem Pflaster losreißen. Werde meine Ferien auf den Champs-Elysées verbringen. Hier ist es so schön wie irgendwo anders."

„Oh, bestimmt! Aber… Hier im Cosmopolitan?"

„Diese Wohnung ist für mich bis zum Monatsende bezahlt. Und da ich so bestimmte Gewohnheiten angenommen habe…"

„Wirklich, sehr großzügig, die Kleine", stellte Covet fest.

„Kann man wohl sagen… Geben Sie mir mal die Flasche. Hab Lust, mich ordentlich zu besaufen. Sie werden mir doch bestimmt dabei helfen, wie ich Sie so kenne, oder?"

„Eben nicht!" sagte der Journalist bedauernd und hob die Hand. „Hab 'n Termin heut' abend. Da möchte ich geradeaus gucken können. Aber nach der Vorstellung steh ich zur Verfügung."

„Nach welcher Vorstellung?"

„Na ja, Sie wissen doch – Sie gehören schließlich jetzt zu

der großen Filmfamilie –, zwei angeblich wichtige Filme sind in Cannes nicht gezeigt worden. *Versteckte Drohungen* und *Brot für die Vögel*. Waren noch nicht fertig. Jetzt sind sie's. Die beiden Produzenten wollen die Saison in Paris für eine Weltpremiere nutzen, die eine im François I., die andere im Ruban-Bleu. Heute abend bin ich zu *Versteckte Drohungen* eingeladen. Aber der Knüller kommt morgen: *Brot für die Vögel* von Jacques Dorly, mit Lucie Ponceau."

„Lucie Ponceau?"

„Ja, ja, ein Liebeskummer jagt den nächsten! Sie haben sich damals bestimmt auch in Lucie Ponceau verliebt, stimmt's? Hat doch so gut wie jeder..."

„Ich dachte, sie wär längst tot."

„Dann wissen Sie's jetzt besser. Sie war völlig in der Versenkung verschwunden. Ungefähr fünfzehn Jahre ohne Engagement. Jetzt taucht sie wieder auf. Der kleine Jacques Dorly ist ein Idealist. Hat sich in den Kopf gesetzt, ihr eine letzte Chance zu geben. Und sie soll ihn nicht enttäuscht haben. Experten meinen, ihr Comeback wird eine Sensation."

„So ganz jung kann die doch nicht mehr sein, hm?"

„Das nicht gerade, aber sie steckt die kommende Generation noch allemal in die Tasche... Also, ich muß jetzt gehn... ich laß Sie mit Ihrem Liebeskummer alleine."

Er stand auf.

„Scheiße!" entfuhr es mir.

„Sagen Sie, Burma: wollen Sie heute abend mit mir zu den *Versteckten Drohungen* ins François I. gehen? Ich kann Ihnen wohl noch 'ne Karte besorgen... Dann müßten wir uns nicht erst für hinterher zum Saufen verabreden..."

„... und hätten mehr Zeit dafür", lachte ich. „Einverstanden, mein Lieber. Hab zwar in Cannes schon kilometerweise Zelluloid verschlungen, aber so furchtbar viel hab ich gar nicht mitgekriegt. War mit den Augen öfter bei meiner Klientin als auf der Leinwand. Der Beruf geht vor. Jetzt könnte ich mir ja mal einen Film ansehen, ohne abgelenkt zu werden... Also, abgemacht. Verkleidung angesagt?"

„O ja! Abendanzug erwünscht. Aber daran müßten Sie ja so langsam gewöhnt sein."

„Mehr oder weniger."

„Dann bis heute abend."

* * *

... Beinahe unbewußt drückt Sheila auf den Abzug... Der Mann bricht zusammen... Sheila schießt mechanisch weiter... Ihr Gesicht spiegelt einen stummen Kampf unterschiedlichster Gefühle wider... Dann verschwimmt Sheilas leidenschaftliches Gesicht... der Rauch aus der Automatik, die sie immer noch betätigt, wie im Traum, entzieht es nach und nach dem Blick des Zuschauers... Ein paar Takte Musik... ENDE.

Die riesigen Buchstaben bedeckten die gesamte Leinwand. Das Licht im Kinosaal des François I. gingen wieder an. Soeben war *Versteckte Drohungen* einem geladenen Publikum gezeigt worden. Ein *Mondialux-Film* von der *Rampo Consortium*. Anhaltender Beifall brandete auf. Stürme der Begeisterung. Alle Premierengäste standen auf, so als hätte ein Orchester die Nationalhymne angestimmt. Ich folgte dem allgemeinen Beispiel. Der Saal hatte zwar eine Klimaanlage, aber trotzdem kriegte man Durst. Um so mehr, da mein steifer Kragen mir so langsam die Kehle zuschnürte.

Neben mir saß eine hübsche Blondine mit wunderschönen Schultern. Das Profil kam mir irgendwie bekannt vor. Als sie sich ebenfalls erhob, fiel ihr eine winzige Handtasche von den Knien. Ich wollte mich bücken, um das Täschchen aufzuheben; aber sie war schneller. Für meine erfolglosen galanten Bemühungen wurde ich allerdings reichlich belohnt. Ihr asymmetrisches Dekolleté bedeckte keusch ihre rechte Brust, während es links einen schwindelerregenden Einblick gewährte. Ich ließ es gewähren. In der Mitte der schmerzensreichen Freuden baumelte ein Goldkreuz an einem Kettchen. Der Kunstgenuß dauerte nicht lange an. Aber immerhin hatte ich genug Zeit, um an der rechten Brust etwas Ungewöhnliches zu bemerken. Die hübsche Blondine nahm ihr Täschchen und richtete sich auf. Ich tat so, als hätte ich nichts gesehen, und bahnte mir einen Weg zum Mittelgang. Im Foyer des François I. suchte ich Marc Covet, von dem mich eine resolute Platzanweiserin getrennt hatte. Endlich erwischte ich ihn.

„Wohin geht man?" fragte ich unternehmungslustig.

„Sagt Ihnen der Camera-Club zu?"

„O.k.! Auf zum Camera-Club."

Wir gingen die Champs-Elysées hinunter. Ein Leben herrschte hier! Wie am hellichten Tag, glitzernd von der Leuchtreklame und den hellerleuchteten Schaufenstern der Geschäfte. Beim Rond-Point, zwischen *Jours de France* und *Le Figaro*, überquerten wir die Avenue und gingen dann unter dem Blätterdach der Avenue Matignon weiter. Hier in einer Villa befand sich der Camera-Club. Nach Mitternacht traf sich hier alles, was beim Film Rang und Namen hatte. Der Club war sehr luxuriös ausgestattet, ein Fest für die Sinne. Spiegel wie Seen an den Wänden, überall Goldverzierungen. Selbst der *boy* hätte nicht zugegeben, auch nicht unter Folter, daß er aus Belleville war. Dabei war er ein Lakai wie tausend andere... die keine Livree trugen. Im Restaurant funkelten auf den Damasttischtüchern Silber und Kristall. Zahlreiche Tische waren besetzt. Kellner im Frack eilten von einem zum andern.

Wir gingen in die Bar, in der reges Treiben und munteres Geplapper herrschte. Marc Covet entschuldigte sich beinahe sofort, um mit jemandem zu reden. Ich schwang mich auf einen Hocker, stopfte mir eine Pfeife und bestellte was zu trinken. Mein Kragen scheuerte mir den Hals wund. Ich knöpfte ihn auf und rieb mir mit zwei Fingern die Haut. In dieser eleganten Haltung dachte ich an eine flüchtig erspähte Brust. Um mich herum wurde lebhaft über *Versteckte Drohungen* diskutiert. Jemand erklärte den Film für sen-sa-tio-nell, wobei er die einzelnen Silben wie Wurstscheiben ausspuckte, so als hätte er den Mund voll davon.

„...ganz Ihrer Meinung."

Unvollständige Sätze standen hoch im Kurs.

„Ja, große Kunst. Beim Festival hätte der Film alle Preise eingeheimst."

„Sie müssen erst mal *Brot für die Vögel* sehen!" dämpfte ein weiterer Augure die Begeisterung. „Beim Wettbewerb hätte…"

Marc Covet kam wieder zurück, in Begleitung eines pfiffigen jungen Mannes mit geliehenem Smoking und eigenen roten Haaren.

„Ich möchte Ihnen Rabastens vorstellen", sagte Covet. „Ein Kollege von mir. Er wollte Sie unbedingt kennenlernen."

„Jules Rabastens", vervollständigte der Rothaarige lächelnd und reichte mir die Hand. Ich nahm sie. Das verpflichtet zu nichts! „Julot für Damen und Freunde. Ich arbeite bei *Ciné-Gazette*…" Er hörte gar nicht auf, mir die Hand zu schütteln. Seine Augen blitzten vor Freude. „Monsieur Burma, ich freue mich sehr, Ihre Bekanntschaft zu machen. Angenehm. Wirklich sehr angenehm. Sie können sich nicht vorstellen…"

Und er wiederholte immer wieder, daß ich mir das gar nicht vorstellen könne. In puncto Vorstellungskraft traute er mir offensichtlich nicht viel zu, trotz des Interesses, das er mir entgegenbrachte. Aber er wußte, was sich gehörte:

„Das muß begossen werden, hm?"

Ich sagte nicht nein.

„Und?" begann er wieder. „Bei wem sind Sie jetzt Leibwächter, nachdem Grace Standford in die Staaten zurückgekehrt ist?"

„Bei niemandem. Ich treib mich nur noch etwas im Filmmilieu rum, wo ich schon mal in Übung bin."

„Sie werden's schnell satt haben", prophezeite er mir seufzend. „Mag ja ganz reizvoll sein, am Anfang; aber es passiert nicht viel Aufregendes. Mußten Sie viele Leichen einsammeln, in Miss Standford's Umgebung?"

„Konnte den Leichenwagen in der Garage lassen."

„Dachte ich's mir. Aber vielleicht ändert sich das jetzt. Sie müssen wissen, ich schreibe nicht nur über Film und alles, was dazugehört. Für ein paar Provinzblätter schreib ich über Kriminalfälle. Ich weiß wohl, daß Covet eine Art Exklusivrecht auf Sie hat. Aber, verdammt nochmal! Alles, was in letzter Zeit über Grace Standford geschrieben wurde, stammt aus seiner Feder. Er könnte doch jetzt mal bequem ein paar Krümel den Kollegen lassen…"

Marc Covet stieß einen Fluch aus. Rabastens fuhr fort:

„Mit anderen Worten, sollten Sie zufällig über eine Leiche stolpern, sagen Sie mir Bescheid. Hier, meine Karte, für alle Fälle."

Ich steckte die Visitenkarte ein.

„So ist die junge Generation", brummte Covet. „Ehrgeizig. Maßlos ehrgeizig. Klauen den Älteren die Butter vom Brot, um voranzukommen. Diese Saukerle!"

Wüstes Geschimpfe von beiden Seiten. Ein andrer junger Mann, mit Brille und Schnäuzer, Photoapparat vor dem Bauch und Blitzgerät in der Hand, klopfte dem Rothaarigen auf die Schulter. Das lenkte die beiden Streithähne ab.

„Salut, Rabas. Ich hau ab. Willst du das Auto haben?"

„Nein", sagte der andere. „He, Fred! Kennst du die Herren hier?"

„Marc Covet vom *Crépuscule*, nicht wahr? Fred Freddy, vom *Radar*", stellte der Neue sich vor. Die beiden Journalisten gaben sich die Hand.

„Und dies hier ist Nestor Burma", machte Rabastens mich bekannt.

Fred sah mich interessiert an.

„Ach ja? Natürlich. Covet… Burma… Das berühmte Paar, hm?"

„Ein hübsches Paar", betonte Covet.

„Monsieur Burma war Leibwächter der quirligen Grace Standford", erläuterte Rabastens.

„In Originalfassung", fügte ich bescheiden hinzu.

Ein Blitzlicht blendete mich. Fred Freddy war immer auf Zack.

„Ein hübsches Dokument für dein Privatarchiv, Julot", lachte er. „Morgen hast du's... wenn ich dran denke. Wie wär's mit 'nem Whisky?"

„Wozu ist die Spesenrechnung sonst da", bemerkte Rabastens.

Er bestellte für den Fotografen einen Whisky. Uns ließ er unser Lieblingsgetränk nachfüllen. Fred Freddy schluckte seinen Whisky wie Medizin runter, auf *ex*. Wie ein kleiner Abgeordneter aus der Gegend von Bercy.

„Und jetzt verdufte ich aber", sagte er und wischte sich elegant mit dem Handrücken über den Mund. „Scheißberuf! Man macht immer die gleichen Fotos. Salut, Leute."

Er verlor sich in der Menge.

„Ja, ein Scheißberuf", seufzte Rabastens und zerwühlte seinen roten Schopf. „Alles, was ich schreibe, seit ich 'ne Feder halten kann, hab ich schon hundertmal widergekäut. Entschuldigen Sie die Syntax. Aber irgendwann ist man mit seinem Latein am Ende. Und dann nie die Sensationsmeldung kriegen, mit der man groß rauskommt..."

„Fang nicht wieder an! Immer willst du mir die Schau stehlen", schimpfte Covet.

„Schluß jetzt", mischte ich mich ein. „Zwischen euch komm ich mir vor wie heiße Ware."

Rabastens fluchte und trank sein Glas und das seines Nachbarn aus. Dann bestellte er eine neue Runde. Nebenan fiel der Name Denise Falaise. Unser Rotschopf sah gequält zur Decke.

„Die gehen mir mächtig auf den Wecker", sagte er, „mit ihrer Denise Falaise..."

Ich schnippte mit den Fingern.

„Was?" fragte Covets Kollege.

„Ach nichts", wich ich aus. „Sie saß neben mir, im François I. Wußte doch gleich, daß ich sie schon mal gesehen hatte. Der Name fiel mir nicht ein. Jetzt hab ich ihn."

„Ja", lachte Marc Covet. „Neuerdings erkennt man sie am Gesicht wieder. Hat anscheinend die Taktik geändert. Sie will einfach ihren Busen nicht mehr zeigen. Dabei war der ein Bombenerfolg, in *Stop, Grenze*."

„Alles drehte sich nur darum", ergänzte Rabastens. „Von oben, von unten, Großaufnahme, Fahraufnahme usw. Aber in ihrem neuesten Film sieht sie aus wie 'ne Mumie. Eingewickelt bis zum Hals. *Mein Herz fliegt*, vor zehn Tagen rausgekommen. Man will das Publikum verarschen. Anders kann ich mir's nicht erklären. Soll übrigens ein Reinfall sein. Zu Recht. Wenn diese Denise so weitermacht, dann wird sie bald nur noch Nebenrollen spielen, und nicht mal sehr gescheite..."

„Da ist sie", unterbrach ich ihn.

Ich wies mit Kinn und Pfeife zum Eingang. Ein Paar betrat die Bar, begrüßt von bewunderndem Gemurmel. Den Mann hatte ich schon im Cosmopolitan gesehen. Ein Fettsack mit schweißglänzender Glatze. Er schwankte neben Denise Falaise her, der hübschen Blondine mit den hinreißenden Schultern und dem asymmetrischen Dekolleté. Ihr galt das Gemurmel. Sie lächelte. Ein gezwungenes Lächeln, verkrampft, müde. So müde, daß es nicht mal den Versuch machte, bis zu den Augen zu gelangen. Ihr Blick war so abwesend wie ein zahlungsunfähiger Schuldner am Fälligkeitstag. Zwei- oder dreimal blitzte es auf.

„Champagner für alle", dröhnte der Fettsack.

„Was hab ich Ihnen gesagt?" knurrte Rabastens. „Links sieht man etwas, und rechts gar nichts. Eine Schande!"

Er trank sein Glas leer. Durch seine Entrüstung wurde er so langsam richtig blau.

„Noch mal das gleiche", sagte er angewidert zum Barkeeper.

„Ich hätte sofort daran gedacht, Monsieur", sagte der Mann mit der weißen Weste so steif wie sein Kragen.

Er sammelte unsere Gläser ein und stellte drei Schalen vor uns hin.

„Was soll das denn?" fragte der Rothaarige.

„Haben Sie nicht gehört, Monsieur? Monsieur Laumier

gibt Champagner aus."

„Ach ja? Na schön, nur zu! Ist er uns auch schuldig."

„Laumier, ist das der Dicke mit der Glatze?" erkundigte ich mich.

„Ja."

„Produzent? Regisseur?"

„Beides", belehrte mich Marc Covet. „Der Regisseur hat kein Talent, und der Produzent ist pleite. Trotzdem: zum Wohle! Vielleicht hat er hier Kredit."

Mit der Sektschale in der Hand steuerte Rabastens auf Laumier zu. Der Dicke schwankte gefährlich, obwohl er an der Theke lehnte. Er schwitzte und keuchte wie ein Ochse, während er dem Kreis, der sich um ihn gebildet hatte, von seiner nächsten Produktion erzählte. Mit einem gelben Seidentuch wischte er sich über Glatze, Nacken und Hängebacken. Offensichtlich hatte er den Kanal ganz schön voll.

„... *Der Tod ernährt seinen Mann*", lallte er mit belegter Stimme. „Ist das ein Titel, hm? Gestern Beginn der Dreharbeiten..."

„Werden Sie den Film beim nächsten Festival zeigen?" fragte Rabastens.

Seine Stimme stand der von Laumier um nichts nach.

„Ich pfeif auf Festivals", stieß der produzierende Regisseur hervor.

„Spielt Mademoiselle Falaise in dem Streifen mit?"

„Natürlich."

Rabastens ließ ein langgezogenes heimtückisches Lachen hören, womit er unter Beweis stellen wollte, daß er sich in der Branche auskannte.

„Na ja", sagte er dann, „das wird also wieder ein Film fürs Jugendheim!"

„Was? Was?" keifte Laumier. „Wie meinen Sie das?"

„Sie haben mich sehr gut verstanden..." Der Journalist erhob seine Schale, sehr hoch, wobei er sich die Hälfte des Champagners über den Ärmel goß. „... Auf Ihr Wohl!"

„Messieurs-dames", dröhnte Laumier und bewegte aufgeregt seine stämmigen Arme hin und her. „Messieurs-dames, ich weiß nicht, worauf der junge Mann da anspielen wollte. Mademoiselle Falaise, die..." Wieder trat das gelbe Seidentuch in Aktion. „... wo ist Mademoiselle Falaise eigentlich?"

„Mademoiselle Falaise ist nach Hause gegangen, Monsieur", sagte jemand.

Die metallische Stimme, so schneidend wie eine Axt, übertönte das allgemeine Durcheinander. Ein schlaksiger Kerl, der wie eine 1 am Eingang stand. Sah verdammt nach Diener aus! Seine Augen hatten schon seit langem die Form von Schlüssellöchern angenommen...

„Ach! Sind Sie's, Jean?" fragte Laumier in seine Richtung.

„Ja, Monsieur."

„Und Sie sagen, daß Mademoiselle Falaise..."

„... nach Hause gegangen ist. Jawohl, Monsieur. Sie hat sich müde gefühlt."

„Hm. Fand mich bestimmt zu besoffen."

Darauf antwortete Jean nicht. Laumier holte eine Zigarre aus seiner Brusttasche, sah sie prüfend an und steckte sie sich zwischen die Lippen, ohne sie anzuzünden. Jean näherte sich mit Hilfe seiner Ellbogen seinem Chef.

„Sie sollten auch nach Hause gehen, Monsieur", regte er an.

Die Schneide der Axt war nicht stumpfer geworden. Noch etwas Verachtung dazu, damit sie noch etwas schärfer wurde.

„Na gut", brummte Laumier.

Er fischte ein paar Scheine aus seiner Tasche und legte sie auf die Theke.

„Also dann, gute Nacht zusammen."

Er drehte sich um. Sein Blick fiel auf Rabastens, verfinsterte sich. Der Rote mußte lachen. Der Blick des Produzenten wurde noch finsterer.

„Tja."

„Ist das ein Kriminalfilm? Ihr *Tod dingsbums*?" fragte der Journalist.

„Ja."

„Brauchen Sie keinen technischen Berater? Irgendwie stimmen Ihre Filme nie. Falls Sie einen technischen Berater brauchen, darf ich Ihnen Nestor Burma vorstellen, Privatdetektiv..."

„Hm."

Der verschleierte Produzentenblick wanderte von Rabastens über Marc Covet und einige andere zu mir. Er mußte sechs zählen... oder zwölf.

„Leck mich am Arsch!" lallte Laumier ohne bestimmtes Ziel. Er ballte die Faust, hob sie fast bis zur Achselhöhle.

„Monsieur", mischte sich der Geschäftsführer des Camera-Club ein. „Ich muß doch bitten!"

Zu spät! Laumier visierte Covets Kollegen an, zielte aber schlecht und traf mich. Der Schlag tat mir nicht übermäßig weh. Allerdings konnte ich diesen Angriff nicht unbeantwortet lassen. Zu viele Damen im Lokal. Ich traf den Fettsack am zweiten Kinn von unten. Er wär klassisch zu Boden gegangen, wenn er sich nicht an der Theke festgeklammert hätte und er außerdem noch von mehreren Personen aufgefangen worden wäre. Seine Zigarre brach in mehrere Stücke. Jean, der Diener, baute sich vor mir auf. Er sah mich an, sagte aber nichts. Dann zuckte er die Achseln, drehte sich um, schnappte sich seinen Chef und schob ihn am Arm nach draußen, begleitet von Rufen und vom Geschäftsführer, dem der Vorfall sichtlich mißfiel. Er wollte sichergehen, daß sich das nicht wiederholte.

* * *

„Dieser Laumier scheint nicht viel zu vertragen", bemerkte ich draußen.

„Er ist eben nicht wie wir zwei", erwiderte Marc Covet trocken. Der Gipfel der Frechheit! „Wir hätten noch im Camera-Club bleiben können, auf das eine oder andere Gläschen. Warum, zum Teufel, wollten Sie schon abhauen?"

„Aus Anstand. Wir haben schon so genug Wirbel gemacht. Und dann finde ich diesen Rabastens ziemlich aufdringlich.

Gut, daß wir ihn los sind. Außerdem wird uns die frische Luft guttun."

„Frische Luft?" Mein Freund wischte sich den Schweiß ab. „Wo haben Sie hier Luft gesehen? Geschweige denn frische..."

Langsam und friedlich gingen wir leicht schwankend die Champs-Elysées entlang. Noch um diese Zeit war die Avenue heller erleuchtet als damals, als Philippe Lebon, der Erfinder der Gasbeleuchtung, im Schutze der Dunkelheit umgebracht worden war. Ironie des Schicksals. Marc Covet hatte recht: kein Lüftchen wehte. Die Bäume über uns standen so reglos da wie Theaterkulissen.

„Gehen wir zur Seine", schlug ich vor. „Vielleicht ist es dort etwas kühler."

Wir schlängelten uns zwischen den Rasenflächen vor dem Grand Palais hindurch und kamen zum Pont Alexandre III. Typisch 1900, mit seinen goldenen Göttinnen, die oben auf den Säulen die Trompeten ansetzen und gleichzeitig die feurigen geflügelten Pferde in Zaum halten. Die Brücke macht einen so majestätischen Eindruck wie der Zar, der ihr den Namen gegeben hat. Soviel ich weiß, ist das die einzige Brücke, an der das Schild angebracht ist: „Teppichklopfen verboten". Waren damit die Teppiche aus dem Grand und dem Petit Palais gemeint?

Wir lehnten uns über das Brückengeländer, nicht weit entfernt von den beiden riesigen Statuen in der Mitte, deren Rükken mit Grünspan und Schmierereien bedeckt waren. Die Seine floß sanft dahin, plätscherte trügerisch. Nicht ein kühler Hauch stieg von ihr auf. Die grünen und roten Ampeln des Pont des Invalides spiegelten sich im schwarzen Wasser, schwankend wie wir. In regelmäßigen Abständen jagte der sich drehende Scheinwerfer des Eiffelturms über den sternklaren Himmel von Paris.

Ich unterbrach das Schweigen:

„Frag mich, was mich das angeht", fragte ich mich.

„Ich mich auch", brummte der Journalist. Er schüttelte

sich, als wär er gerade aufgewacht. (Vielleicht war das gar nicht so falsch). „... äh... was denn, übrigens?"

„Erzählen Sie mir was über Denise Falaise, ja?" bat ich ihn, anstatt zu antworten.

„Denise Falaise? Also wirklich! Sie haben ja Ihre Grace Standford schnell vergessen!"

„Zerbrechen Sie sich darüber nicht den Kopf. Erzählen Sie mir lieber was über Denise Falaise."

„Warum? Ist doch langweilig. Jede x-beliebige Kinozeitschrift kann Ihnen mehr darüber erzählen als ich."

„Die Kioske sind geschlossen. Ist mit dieser Falaise irgendwas passiert, vor kurzem?"

„Nicht daß ich wüßte."

„Kein Unfall zwischen den Dreharbeiten des... sagen wir... nackten Films und des... eingewickelten?"

„Unfall?"

Behutsam nahm er diese Idee zwischen zwei Hirnlappen, schüttelte dann den Kopf, um zu sehen, was dabei rauskam. Nichts kam dabei raus. Nur ein langsames Gähnen. Danach wiederholte er:

„Nicht daß ich wüßte... Gehn wir noch was trinken?" Er zeigte auf die Seine. „Davon krieg ich Durst."

„Diese Falaise ist doch nicht aus Holz, oder?"

„Wie alle Felsklippen."

Nach einem Schluckauf lachte er über seinen Scherz. Dann trällerte er *La Paimpolaise*.

„Na gut", sagte ich seufzend und richtete mich auf. „Kippen wir lieber noch einen im Crazy-Horse."

„Endlich ein vernünftiges Wort", stellte Covet fest.

* * *

Im Crazy-Horse konnten wir die wunderschöne Rita Cadillac beim Striptease bewundern. Aber meine Gedanken kehrten immer wieder zu Denise Falaise zurück. Sollte ich sie Marc Covet mitteilen? Besser nicht. Möglicherweise hatte ich

mich verguckt, hatte schlecht hingesehen ... Schlecht hingesehen? Hm ... konnte mir kaum vorstellen, daß ich nicht richtig
hingesehen hatte. Und am Licht wurde im François I. nicht
gespart. Außerdem hab ich Augen im Kopf. Nein, kein Zweifel. Wenn Denise Falaise in den letzten Filmen ihre stolze
Brust nicht mehr so großzügig zeigte, wenn ihr asymmetrisches Dekolleté auf Abendgesellschaften mehr als keusch und
züchtig ihre rechte Brust verbarg, dann gab es da etwas auf
dieser rechten Brust, was eine Zurschaustellung nicht
erlaubte. Etwas, was ich gewerbesteuerpflichtiges, aber privi-
legiertes Glückskind gesehen hatte: Die Narbe einer früheren
Verletzung, die nicht gerade von dem Korken einer Spielzeug-
pistole herrührte!

2.

Die nächtliche Besucherin

Als wir das Crazy-Horse verließen, winkte Marc Covet ein Taxi ran. Ich ging zu Fuß zurück zu den Champs-Elysées. Die Eingangshalle des Cosmopolitan war trotz der vorgerückten Stunde taghell erleuchtet. Der Portier saß hinter seiner Mahagonitheke, frischrasiert, korrekt und elegant, und gab einem jungen Pagen Anweisungen. Von unten drang gedämpfte Musik aus dem *dancing*. So spät noch ... das war ungewöhnlich.

„Was ist unten los?" fragte ich den Portier, als er mir meinen Schlüssel reichte.

„Die Leute vom Film, Monsieur", erklärte er.

Der Liftboy schien vor mir aus dem Boden zu wachsen – wie es sich für einen perfekten Liftboy gehört – und hielt mir die Tür zum Fahrstuhl auf. Lautlos und schnell wurde ich in meiner Etage abgesetzt. Ich betrat meine Wohnung, ging durch den Salon in mein Schlafzimmer, knipste die Deckenlampe an und nahm Kurs auf mein Bett.

In dem Augenblick sah ich sie.

* * *

Was die Leute behaupten, muß nicht immer stimmen. Zum Beispiel, daß Besoffene furchtbare Halluzinationen haben, daß sie Ratten sehen, Spinnen, Elefanten oder andere gräßliche, abstoßende Tiere. Das stimmt nicht immer. Oder aber ich hab das Glück eines Besoffenen, der auf Schonkost gesetzt wird. Was da jedenfalls in meinem Bett lag und schlief, Decke zurückgeschlagen, war weder eine Ratte noch eine Spinne.

23

Schon eher eine weiße Maus.

Kaum zwanzig, eher jünger. Ein hübsches Gesichtchen, gekonnt geschminkt, umrahmt von kastanienbraunem Haar. Wohlriechend. Feine Nylonstrümpfe, die ihre formvollendeten Beine voll zur Geltung brachten. Lackierte Nägel, Armbanduhr.

Ich zog einen Stuhl ran und setzte mich erst mal. Offen gesagt, ich war etwas überrascht.

Ach ja, nackt war meine Halluzination auch. Sie seufzte, verzog ihren Schmollmund, wälzte ihren Kopf auf dem Kissen hin und her. Ihre Hand tastete neben sich. Beinahe gleichzeitig öffnete sie die Augen. Geblendet von dem Deckenlicht, schloß sie sie sofort wieder. Ich stand auf, knipste das Licht aus, knipste eine weniger aufdringliche Wandlampe an und setzte mich wieder, wortlos. Das Mädchen richtete sich auf, nahm den Kopf zwischen beide Hände und zerwühlte sich die Haare. Sie gähnte, öffnete dann endgültig die Augen und sah mich an. Wenn sie, vollständig angezogen, eine Briefmarke in einem *tabac* kaufte, konnte sie nicht weniger verlegen oder verwirrt aussehen.

„Entschuldigen Sie", sagte sie. „Ich glaube, ich... ich bin eingeschlafen."

Ihre Stimme klang zärtlich, warm, herausfordernd. Einstudiert. Verdammt einstudiert. Die Kleine hatte einen hübschen Körper, schlank, bernsteinfarben. Flacher Bauch, kleine Brüste, wohlgeformt und fest, hübsches Gesicht, wie schon bemerkt; aber ich hatte in meiner Laufbahn schon Dreckschaufeln kennengelernt, die intelligenter aussahen.

„Ich muß eingeschlafen sein", wiederholte sie.

„Ja", sagte ich freundlich. „Und zwar im falschen Zimmer."

„Oh! Monsieur... aber..." Ihre Augen wurden noch größer. „... aber sind Sie nicht... oh!"

Spät kam die Verlegenheit, aber sie kam. Sie bedeckte sich, so gut es ging, mit dem Bettlaken und sah mich jetzt beinahe ängstlich an.

„Wer... wer sind Sie dann?" stammelte sie.

„Mein Name sagt Ihnen bestimmt nichts."

„Sind Sie... sind Sie vom Film?"

„Kann man nicht so sagen", sagte ich lachend. So langsam begriff ich den Grund der Verwechslungskomödie. „Ich bin vielleicht der einzige in diesem Hotel, der nichts mit dem Film zu tun hat. Pech, hm? Sie müssen leider woanders weiterschlafen, meine Süße."

Ich stand auf.

„Also wirklich!" rief sie. „Was bin ich nur für eine dumme Gans!"

Wie recht sie hatte!

„Wo sind Ihre Kleider?"

„Da."

Sie zeigte auf einen Stuhl. Dort lag ihre leichte Ausrüstung: weitausgeschnittene Bluse, heller Faltenrock, dazu das absolute Minimum an Unterwäsche.

„Und bitten sie mich bloß nicht, in eine andere Richtung zu sehen, während Sie sich anziehen", warnte ich sie und reichte ihr die hochhackigen Schuhe, die ich neben dem Schrank aufgesammelt hatte. „Ich werde ganz bestimmt nicht gehorchen."

Wütend warf sie das Laken zur Seite und sprang aus dem Bett. Schön, wie sie war, stand sie auf dem Bettvorleger und gab sich Mühe, mich strafend anzublicken. Stück für Stück gab ich ihr die Klamotten. Nach dem klassischen Striptease der schönen Rita Cadillac mißfiel mir auch diese umgekehrte Version ganz und gar nicht. Aber wenn ich gedacht hatte, ich würde die Kleine hier beschämen, dann war ich auf dem Holzweg.

„Sie wollen natürlich zum Film", bemerkte ich während der Aktion.

„Ja."

„Und da haben Sie diesen Weg gewählt..."

„Ja."

„Gibt's keinen anderen? Haben Sie schon mal was von Talent gehört?"

Bevor sie den Büstenhalter anzog, straffte sie ihren Oberkörper und betrachtete sich selbstgefällig im Spiegel.

„In der Antike", bemerkte ich, „pflegten die Schauspieler Masken zu tragen: ‚Alles in die Kostüme!' Heute dagegen… Na ja, lassen wir das. Wie sind Sie überhaupt hier reingekommen?"

Sie antwortete nicht. War ganz damit beschäftigt, die Falten ihrer Bluse zu ordnen. In Brusthöhe war der Name *Monique* aufgestickt. Fehlten nur noch Telefonnummer und Angabe der Sprechstunden.

„Sind Sie soweit, Monique? Also, machen Sie sich nichts draus! Vielleicht haben Sie beim nächsten Versuch mehr Glück. Aber nicht im Zimmer irren, nein? Mehr Glück… wenn man überhaupt von Glück sprechen kann…"

Plötzlich wurde ich wütend. Ich packte die Kleine am Arm und schüttelte sie:

„… Du dummes Kamel, du! Läßt mich hier um drei Uhr morgens Moral predigen… wo ich doch selbst halb blau bin. Können Sie sich diese blöden Ideen nicht aus dem Kopf schlagen und sich ein nettes, friedliches Leben aufbauen? Stattdessen verkaufen Sie sich an wer weiß wieviele Saukerle, und vielleicht auch noch völlig umsonst. Verlorene Liebesmüh sozusagen… Verdammt nochmal! Es gibt so viele hübsche Kerle auf der Welt, überall, einer, der mit seinen eigenen Händen arbeitet, als Mechaniker oder so, was weiß ich, ein netter Junge, der Sie glücklich machen würde und dabei selbst glücklich wär…"

„Ein Mechano?" lachte sie. „Ach du Scheiße! Besten Dank!"

Ich ließ sie los.

„Verschwinden Sie!" sagte ich.

Ich begleitete sie nach draußen auf den Flur, hielt ihr die Tür auf. Als sie an mir vorbeiging, wurde ich von einer Parfümwolke eingehüllt. Das gleiche teure Parfüm, das auch Grace Standford benutzte. Monique hatte es wahrscheinlich in Naturalien bezahlt. Sie trat auf den Flur hinaus, sah mich mit ihren dunklen warmen Augen an. Deutlich war darin zu lesen: ‚Sie sind ein Schwachkopf!‘ Schwachkopf großgeschrieben.

„Bis dann", sagte sie zum Abschied. „Wenn ich meinen Mechano gefunden habe."

Dann entfernte sie sich auf ihren aufregenden Beinen, mit wiegenden Hüften à la Marilyn Monroe. Der dicke Läufer dämpfte das Geräusch ihrer hohen Absätze. Noch bevor sie an der Treppe war, schloß ich die Tür.

Letztlich hatte sie ja recht. Ein Mechaniker! Also wirklich, ich wurde noch zum Arbeiterdichter. Ich kannte Mechaniker. Ihre Frauen waren sehr nett, aber Starlets waren das natürlich nicht!

Ich ging ins Badezimmer. Da hörte ich – oder bildete es mir ein – ein flüchtiges Geräusch auf dem Korridor. Kam das Mädchen wieder zurück? Ich öffnete die Wohnungstür. Keine Menschenseele, das übliche Dämmerlicht.

Ich ging also wieder ins Badezimmer, trank ein Glas Wasser und zog mich aus. Das Bett war noch von dem hübschen Körper der kleinen Hexe eingedrückt. Ich streckte mich aus. Der letzte Rest des teuren Parfüms hüllte mich ein.

3.

Ein geheimnisvolles Drama

Mit dickem Kopf und pelziger Zunge erwachte ich. Muß so gegen Mittag gewesen sein, gerade rechtzeitig für einen Anruf von Marc Covet.

„Sagen Sie mal", brachte der Journalist mühsam hervor, anscheinend noch ziemlich benebelt. „Was haben Sie da gestern über Denise Falaise erzählt? Unfall? Ist mir die ganze Nacht und noch länger durch den Kopf gegangen."

„Vergessen Sie's" riet ich ihm. „War nicht so wichtig."

Meine Antwort schien ihm zu genügen.

„Ach ja? Gut", sagte er und legte auf.

Als ich dann kurz darauf runterging, wartete er jedoch in der Hotelhalle auf mich.

„Ist Ihre Zeitung schon vollgeschmiert?" fragte ich.

„Noch lange nicht", sagte er lächelnd, „aber ich such was Interessantes. Und im Dunstkreis von Nestor Burma... Ich glaub, ich hab was an der Angel. Wollte aber nicht am Telefon drüber reden. Trinken wir 'n Aperitif im *Paris*?"

„Ich glaub, ich hab was an der Angel", wiederholte er, als unser *aperto* vor uns stand.

„In welcher Richtung?" erkundigte ich mich.

„In Richtung Denise Falaise natürlich! Sie haben... Ich war blau, aber das weiß ich noch... Sie haben was von einem Unfall erzählt. Unfall bedeutet Arbeitspause, nicht wahr? Also: Bevor sie *Mein Herz fliegt* drehte, diesen hochgeschlossenen Film ohne eine Handbreit Fleisch, gibt's eine Lücke in der Karriere der Kleinen. Kann mich nicht mehr hundertprozentig dran erinnern, aber sie hat sich 'ne ganze Zeit nicht mehr in den Studios blicken lassen. Soll ich da mal nachhaken? Ich…" Er fluchte. „… Keine Minute Ruhe hat man, verdammt nochmal. Schon wieder dieser Nervtöter!"

Ein flammender Rotschopf über einem Gesicht aus Pappmaché setzte sich an unseren Tisch: Monsieur Rabastens, Julot für die Damen, schlecht erholt von der nächtlichen Sauferei. Seinen Smoking hatte er gegen ein Polohemd eingetauscht, das besser mit seinen Haaren harmonierte. Unterm Arm schleppte er einen Umschlag mit sich rum.

„Tag, Leute", sagte er. „Hab euch zwar nicht gesucht… aber weil ich euch schon mal sehe… Habt ihr den Blödmann erlebt, diesen Laumier? Ehrlich, so langsam streitet der sich nur noch rum. Aber als er weg war – und ihr auch –, haben wir noch 'ne ganze Zeit über ihn hergezogen, im Camera-Club. Apropos… Sah so aus, als hättet ihr mich abgehängt, hm?"

„Wir waren müde", sagte Covet. Dann, mit einem plötzlichen Blitzen in den Augen: „Wir haben gerade von Denise Falaise gesprochen."

„Ach ja?"

„Ja. Sie ist Nestor Burma ins Auge gesprungen."

„Aha. Sie sammeln also Filmstars, Monsieur Burma?"

„Mit Vergnügen", bestätigte ich.

„Natürlich…" Rabastens zog ein paar Fotos aus dem Umschlag und gab jedem eins. „Die Starfotos von Fred Freddy."

Ich warf einen flüchtigen Blick auf den Abzug.

„Wir sehen alle einigermaßen blöd aus", bemerkte ich.

„Kann man wohl sagen", stimmte mir der Rotschopf zu. Er wandte sich an seinen Kollegen: „Heute abend ist die Premiere von *Brot für die Vögel* im *Ruban-Bleu*. Mit Lucie Ponceau. Wird wohl 'ne Sensation. Gehst du hin?"

„Weiß ich nocht nicht", brummte Covet.

Noch ein paar Minuten Blabla, dann brachte er Denise Falaise wieder ins Spiel und seinen Kollegen dazu, uns alles zu erzählen, was er über die blonde Schauspielerin wußte.

So erfuhr ich nach und nach, daß sie vor ein paar Monaten plötzlich von der Bildfläche verschwunden war. Ziemlich geheimnisvoll. Krank? Vielleicht. Depression, diese Spezialität der Filmleute? Man wußte nichts Genaues. Böse Zungen der Zunft setzten das Gerücht in die Welt, sie sei schwanger gewesen... von Laumier... und habe abtreiben lassen, weil... von so einem Fettsack ein Kind zu kriegen, zählte nicht gerade zu den Erfolgen, die man an die große Glocke hängt – auch nicht für die Publicity. Außerdem wurde noch von einer herben Enttäuschung im Beruf gemunkelt. Summa summarum jedenfalls nichts Genaues. Rabastens fügte noch hinzu, daß niemand einen Beweis für intime Beziehungen des Produzenten-Regisseurs zu seinem Star hatte. Laumier posaunte Einzelheiten seines Gefühllebens nicht in die Welt hinaus. Er lebte von seiner Frau getrennt – einem Drachen, der nur auf eine günstige Gelegenheit wartete, um die Scheidung einzureichen und eine ansehnliche Pension von ihm zu kassieren. Das übliche Spielchen beim Film. Um auf Denise Falaise zurückzukommen, die nackten Tatsachen beschränkten sich auf folgende Punkte: erstens, sie hatte sich plötzlich zurückgezogen; zweitens, an einen Ort, den kein Journalist ausfindig machen konnte. Zurück aus dem „Exil", hatte sie diesen keuschen und züchtigen Film gedreht, *Mein Herz fliegt*. Rabastens fragte sich, ob sie in einem Kloster gewesen sein konnte. Zu der Zeit waren viele Schauspielerinnen von der göttlichen Gnade gestreift worden... eine der vielen Moden. Vielleicht hatte sie dann doch nicht den rechten Glauben verspürt und war wieder ausgetreten, allerdings mit dem Ergebnis, daß sie sich jetzt etwas zurückhaltender benahm. Wie dem auch sei, wenn sie sich weiterhin so aufführte, würde sie bald endgültig ihre Karriere zerstören – jedenfalls behauptete das Rabastens. Sie besaß nämlich nicht genug Talent, um weiter oben zu schwimmen. Übrigens wußte sie das – sie war nämlich ganz und gar nicht blöd – und litt daran. Einmal hatte sie ihr Herz ausgeschüttet: ihr sehnlichster Wunsch war es, durch ihr schauspielerisches Können zu überzeugen. Sie hatte es versucht. Breiten wir über das Resultat besser den Mantel christlicher Nächstenliebe...

Leider kein einziges Wort, keine Anspielung auf ein leidenschaftliches Drama oder so was Ähnliches, was den Auftritt eines geladenen Revolvers erklärt hätte! Insgeheim hatte ich mit einer Aktion der eifersüchtigen Madame Laumier gerechnet. Allerdings nur einen kurzen Augenblick. Denn die Ehefrau hätte bestimmt dafür gesorgt, daß der Skandal nicht totgeschwiegen worden wäre. Also setzte ich Rabastens gar nicht erst diesen Floh ins Ohr. Kurz darauf verließ er uns. Die Arbeit rief.

Marc Covet bestellte nochmal dasselbe.

„Schlußfolgerungen?" fragte er dann.

„Keine."

„Aber Burma! Da ist doch was!"

„Geschichten. Filmgeschichten."

„Wie Sie meinen."

Damit ließen wir das Thema fallen. Nach dem Essen verließ mich auch Covet. Wahrscheinlich, um was über Denise Falaise rauszukriegen.

Allein schlenderte ich die Champs-Elysées rauf und runter, dachte über das nach, was Rabastens uns erzählt hatte. Schlußfolgerungen, um meinem Freund in Abwesenheit zu antworten: die Falaise war weder Nonne noch Mutter geworden. Sie hatte heimlich, still und leise ihre Wunde und die damals wahrscheinlich auftretende Depression behandeln lassen. Vielleicht gab es für diese seltsamen Ereignisse aber auch einfachere Erklärungen? Jedenfalls hatte ich keinen bezahlten Auftrag, diese Geheimnisse zu lüften.

* * *

Am späten Nachmittag kehrte ich ins Cosmopolitan zurück. Der Portier mit dem Stehkragen teilte mir mit, daß ein Monsieur Covet mich vor ein paar Minuten angerufen habe. Ich solle zurückrufen, Gutenberg 80-60.

„Was Neues?" fragte ich, als ich den Journalisten an der Strippe hatte.

„Nichts Besonderes, aber haben Sie Lust, heute abend wieder ins Kino zu gehen? *Brot für die Vögel*, mit Lucie Ponceau."

„Hab nichts dagegen."

„Gut. Treffen wir uns bei Fouquet's. Könnten Sie Ihr Auto aus der Garage holen?"

„Für zweihundert Meter? Sind Sie plötzlich gehbehindert?"

„Eventuell muß ich nach der Vorstellung dringend was erledigen. Jedenfalls brauch ich ein Auto. Kann ich Ihr's haben?"

„Ja."

Etwas enttäuscht legte ich auf. Ich hatte einen Augenblick lang die Hoffnung gehegt, er würde mir irgendetwas über Denise Falaise berichten können. Ich trat aus der Kabine. Der Portier kam auf mich zu.

„Entschuldigen Sie, Monsieur, aber ich hatte vergessen..."

Er warf einen Blick auf den Zettel in seiner Hand. Monsieur Laumier, nicht wahr, ich wisse doch, nicht wahr? Monsieur Laumier, der Filmproduzent, der ebenfalls hier im Hotel wohne... na ja, der habe auch angerufen, aus dem Studio. Habe zwar nicht ausdrücklich gebeten, daß ich zurückrufe, aber für alle Fälle eine Nummer hinterlassen. Ich notierte, rief den Fettsack aber nicht an. Einerseits war die angegebene Zeit, in der man Laumier erreichen konnte, schon verstrichen. Und andererseits war er bestimmt noch nicht zurück im Hotel.

* * *

Als ich später Marc Covet auf der Terrasse des Fouquet's wiedertraf, zeigte er eine gewisse Unruhe.

„Haben Sie das Auto hier?" fragte er anstelle einer Begrüßung.

„Vor Ihrer Nase. Möchte wissen..."

„Wenn der Film gleich so ist, wie gemunkelt wird, dann möchte ich als erster Lucie Ponceau beglückwünschen und interviewen. Wird ein hervorragender Artikel..."

„Und dafür brauchen Sie mein Auto? Ist Lucie Ponceau denn nicht bei der Premiere anwesend?"

„Nein", sagte der Journalist mit gedämpfter Stimme und blickte verschwörerisch um sich. „Nein. Sie hat Schiß. Ganz furchtbar Schiß. Mein Gott! Versetzen Sie sich in ihre Lage: fünfzehn Jahre hat man nichts mehr von ihr gehört. Fünfzehn Jahre hat sie ihren Namen auf keinem einzigen Plakat gesehen. Sie traut dem Braten noch nicht so recht. Und sie glaubt kein Wort von dem, was ihr so erzählt wird – wahrscheinlich aus Aberglauben. Daß ihr Talent nicht gelitten habe usw. Der heutige Abend, mein Lieber, wird für sie zum Triumph. Ich kenne mindestens drei Produzenten, die ihr nach der Premiere goldene Brücken bauen werden, nur damit sie mit ihnen einen Vertrag abschließt." Er rieb sich die Hände, als hätte er irgendeinen Nutzen von diesen traumhaften Verträgen. „Heute nacht seh ich keine Bar von innen, Burma. Wenn sich die Hammelherde auf Jacques Dorly stürzt, den Regisseur, rase ich zu Lucie Ponceau. Sie wohnt in einer kleinen Villa, oder besser gesagt, im Nebengebäude einer Villa, am Rande des Parc de Monceau. Ach... Ponceau-Monceau! Reimt sich sogar. Werd meinen Artikel mit einem Vers beginnen. Begreifen Sie jetzt, warum ich Ihre Karre brauche, Burma? Ich muß so schnell sein wie 'n geölter Blitz."

„Ich fahr Sie hin", entschied ich. „Hab keine Lust, daß mein Auto zu Schrott gefahren wird."

* * *

In dem festlich hergerichteten Foyer des *Ruban-Bleu* suchte ich unter den eleganten Berühmtheiten Denise Falaise. Keine Spur von ihr. Covet sah ständig nach rechts und links, bereit, Rabastens oder den anderen zu entwischen, falls sie auftauchten. Diesmal wurden wir von keiner Platzanweiserin getrennt, aber neben mir saß wieder ein hübscher Star: die spitzbübische Jacqueline Pierreux.

Die Story von *Brot für die Vögel* war nicht besonders gut. Das Drehbuch roch leicht nach Mottenpulver, die Dialoge hätten einen starken Kaffee gebraucht. Dann wären sie etwas aufgekratzter gewesen. Aber dafür führte Jacques Dorly ganz anständig Regie, und die schauspielerischen Leistung von Lucie Ponceau übertraf bei weitem die Erwartungen. Die fünfzehn Jahre Abstinenz hatten ihre Fähigkeiten nicht einrosten lassen. Sie wirkte immer noch so jung wie in *Verwundeter Engel*, ein Film, nach dem jeder Zuschauer älter aussah. Als das Wort ENDE auf der Leinwand erschien, erhob sich das Premierenpublikum und spendete langanhaltenden Beifall.

„Los", zischte Marc Covet.

Eilig verließen wir das Kino. Mir war es gelungen, meinen Wagen dirket vor dem Eingang zu parken. Wir stiegen ein, ich fuhr los. Es war immer noch furchtbar heiß. Der Fahrtwind zerstrubbelte zwar unsere Haare, erfrischte uns jedoch kein bißchen. Eine schöne Nacht. Schön und heiß. Ich dachte an Denise Falaise und an das, was bei ihr das Talent ersetzte. Tröstlich zu wissen, daß Talent – echtes Talent –, auch wenn es lange Zeit in Vergessenheit gerät, am Ende doch seine Ansprüche geltend macht.

„Halt", sagte Covet. „Wir sind da."

Vor uns erhob sich ein hübscher Renaissance-Bau, der durch einen kleinen Garten von der Straße getrennt war. In der ersten Etage brannte Licht.

„Prima!" rief Covet. „Wir sind die ersten."

Er sprang aus dem Wagen und läutete an dem Gittertor Sturm. Dann merkte er, daß das Tor nur angelehnt war. Ohne eine Reaktion auf das Läuten abzuwarten, stürmte er – wie einer, der sich alles rausnehmen kann – über den Kiesweg. Als Feind der verlorenen Zeit hielt er schon Block und Stift in der Hand. Ich rannte hinter ihm her. Schon standen wir oben auf der Außentreppe. Noch immer hatte sich niemand auf das Läuten gemeldet. Der Journalist suchte, fand und drückte einen Klingelknopf. Drinnen läutete es. Sehr weit weg, wie mir schien. Und dann Stille. Nichts als Stille. Nur ein leichter

Windhauch. Die Bäume im Parc de Monceau raschelten, ärgerlich über die Störung. Der Wind wehte sanft, es war immer noch heiß. Eher noch heißer als vorher. Ich wischte mir den Schweiß von der Stirn.

„Keiner da", knurrte Covet mißmutig. „Bin reingelegt worden. Scheißtip!"

Ich trat einen Schritt zurück, sah an der Fassade hoch. Oben brannte nach wie vor Licht.

„Kein Personal?" fragte ich.

„Weiß ich nicht. Wenn ja, dann haben die's nicht grade eilig."

„Sind doch wohl nicht taub geworden, mit dem Alter..."

„Keine Ahnung."

Er drückte wieder auf den Klingelknopf. Das Läuten schien mir anders als vorher: schrill, unangenehm, leicht spöttisch.

„Hallo!" rief Covet plötzlich.

Er hatte sich gegen die Tür gelehnt. Sie bewegte sich langsam in den geölten Angeln.

„Wenn wir schon mal so weit sind", sagte ich. „Nur zu!"

Wir betraten eine dunkle Halle.

„Mademoiselle Ponceau!" rief Covet. „Wir sind von der Presse. Vom *Crépuscule*. Ein Triumph, Mademoiselle... Ein Riesentriumph..."

Die Worte verhallten in der feindlichen Stille.

„Sehen wir doch mal oben nach", schlug ich vor. „Da, wo das Licht brennt."

Wir gingen nach oben. Unter einer Tür hindurch drang Licht auf den Treppenabsatz. Diese Tür war genausowenig verschlossen wie die, durch die wir bereits gekommen waren. Dahinter befand sich ein hübsches Zimmer. Komfortabel bis luxuriös. Ein Bücherregal beherrschte eine Wand. Das oberste Fach war vollgestellt mit Filmpreisen. Auf einem Tischchen stand ein Telefon. Eine Wanduhr tickte vornehm. Zwei dicke Bücher mit Ledereinband lagen auf dem Teppich, wie müde hingeworfen. Wie ich später feststellte, war das erste die gebundene Sammlung einer alten Filmrevue. Das andere enthielt unzählige Zeitungsausschnitte, die den Filmstar auf der Höhe seiner Karriere besangen. Links und rechts neben dem Regal hing je ein Bild von Lucie Ponceau, signiert von berühmter Hand. Hier und da bemerkte ich hinter Glas Fotos der Schauspielerin, alle aus ruhmvoller Zeit, alleine oder im Kreise von Kollegen.

Die Schauspielerin selbst lag auf dem Bett, die Augen geschlossen. Das Licht einer eleganten Nachttischlampe fiel auf ihr Gesicht. Eine alte Frau, älter als es in ihrem Ausweis stand, viel älter als die Frau, die ich eben vor einer Viertelstunde auf der Leinwand gesehen hatte. Sie trug einen Seidenpyjama mit altmodischem Muster. Ihre gefärbten Haare lagen unordentlich um ihr hageres, kränkliches Gesicht.

„Großer Gott!" brachte Marc Covet mühsam hervor. Seine Finger umklammerten Block und Stift.

„Sie ist nicht tot", beruhigte ich ihn.

Aber lebendig war sie auch nicht mehr so richtig. Ihr Puls war nicht zu fühlen. Sie atmete schwach, aber abgehackt, so als wollte sie sich beeilen. Und das mußte sie auch. Viel Zeit blieb ihr nicht mehr.

4.
Der Hauch eines Zweifels

Ich griff zum Telefon. Sah ganz so aus, als hätte es nur darauf gewartet, um zu läuten. Ich nahm den Hörer.

„Hallo!"

„Hallo! Äh..." Der Anrufer schien überrascht, eine männliche Stimme zu hören. „... äh... Ist dort die Wohnung von Lucie Ponceau?"

„Mit wem sprech ich?"

„Norbert, der Assistent von Jacques Dorly. Ich..."

„Mit wem möchten Sie sprechen?"

„Mit Mademoiselle Ponceau."

„Tut mir leid, Mademoiselle Ponceau ist nicht hier."

„Wie... nicht hier? Hab ich mich verwählt oder was?"

„Weiß ich nicht. Was hab ich gesagt?"

„Oh, Scheiße!" fluchte der Assistent.

„Hab ich eben auch gedacht", gab ich zurück.

Er legte auf. Ich wählte die Privatnummer meines alten Freundes Florimond Faroux. Er war nicht zu Hause. Ich versuchte es am Quai des Orfèvres.

„Kommissar Faroux, bitte. Hier Nestor Burma."

„Hallo, Burma!" schnauzte der schnauzbärtige Flic wenige Sekunden später. „Finden Sie, daß jetzt die richtige Zeit ist, um..."

„Scheiß was auf die Zeit! Hier steh ich und kann nicht anders..."

„Wo stehen Sie?"

„Vor Lucie Ponceau, der Schauspielerin." Ich nannte ihm die Adresse. „Bewegen Sie sich so schnell wie möglich her. Mit Ambulanz und Arzt. Vielleicht gibt's noch 'ne kleine Chance, sie zu retten…"

„Verdammt, Burma! Ich…"

„Fluchen können Sie später."

Ich legte auf und ging zu dem Star des Abends zurück. Sie lebte noch. Eine kleine Chance. Klitzeklein. Zu klein. Wurde mit den Minuten nicht größer.

„Hm", brummte Covet. „Was meinen Sie…"

Ich zuckte die Achseln.

„Ich mein gar nichts."

„Und dabei sind wir stocknüchtern!"

„Gott sei Dank! Ich…"

… wurde vom Telefon unterbrochen. Ich nahm ab.

„Hallo!"

„Oh, entschuldigen Sie!"

„Macht nichts. Was…"

Aufgelegt.

„Wer war das denn schon wieder?" wollte Marc Covet wissen.

„Eine Frau."

„Was wollte sie?"

„Hat sie nicht verraten."

„Hm." Er fuhr sich mit der Zunge über die trockenen Lippen. „Würde gern was trinken."

„Ich auch."

„Dieses Telefon!"

Es klingelte tatsächlich schon wieder. Verfluchte Erfindung!

„Hallo!"

„Oh, Scheiße!"

„Das haben Sie eben schon mal gesagt, Alter."

„Aber, verdammt nochmal! Das gibt's doch gar nicht. Ich verwähl mich die ganze Zeit. Wird Ärger geben."

„Weiß ich nicht." Ich legte auf. „Hoffentlich tauchen die Leute vom Film nicht vor den Flics hier auf!" sagte ich, mehr zum Lieben Gott.

Er antwortete nicht. Der durstige Journalist, nicht der

Liebe Gott. Abwartend saß er mit seinem dicken Hintern auf der äußersten Kante eines Hockers. Ich folgte seinem Beispiel. Warten und hoffen, wie es auch Edmond Dantès empfiehlt. Was anderes blieb uns auch nicht übrig. Zwischen zwei nervösen Blicken auf meine Uhr ruhte ein dritter auf den gebundenen Ausgaben der Filmrevue – alte Ausgaben voller Lobgesänge – und ein vierter auf dem Album mit den schmeichelhaften Zeitungsartikeln. Mehr war von einer glänzenden Vergangenheit nicht übriggeblieben. Die beiden Bücher waren vom Bett gerutscht, müde fallengelassen. Mein Blick (der fünfte) fiel auf die antike Pendeluhr, eine Art Luxuswekker. Der Zeiger des Weckers stand auf zehn Uhr. Möglicherweise hatte er also um zehn Uhr geklingelt. Zehn Uhr... Zweiundzwanzig Uhr... Der Augenblick, als im *Ruban-Bleu*...

„Hat wohl nicht dran geglaubt, hm?" fragte ich Covet flüsternd.

„Woran?"

„An ihr Comeback."

„Hab ich Ihnen doch gesagt." Er nickte nachdenklich. „Sie zweifelte an sich. Hat immer gezweifelt, wie ich gehört habe."

„Jedenfalls... Sie waren doch hinter einem Sensationsartikel her, oder?"

„Ach ja, stimmt!"

Er holte wieder den Block raus und verließ das Zimmer. Immerhin schrieb er draußen seinen Artikel. Ich rührte mich nicht. Durchs offene Fenster drang der nächtliche Pflanzengeruch vom Parc Monceau herein. Die Pendeluhr auf dem antiken Tischchen zerhackte die Zeit, die wenige Zeit, die Lucie Ponceau noch bewilligt war. In dem Seidenpyjama, der im *Verletzten Engel* mit „gespielt" hatte, lag sie auf ihrem Bett, atmete von Minute zu Minute schwächer. Meine Ohnmacht war mir unerträglich, aber ich konnte nichts für sie tun. Die Uhr tickte, der Zeiger des Weckers stand auf 10... Zweiundzwanzig Uhr... In dem Augenblick war im *Ruban-Bleu* der Vorspann des Films gelaufen, an den die Unglückliche als einzige nicht geglaubt hatte, der sie aber wieder zum gefeierten Star machte. Ein dramatischer Abschied, ihre letzte große Rolle! Viel Schauspielerei. Sie war eben Schauspielerin. Und das konnte man ihr nicht verübeln.

* * *

Zu meiner großen Erleichterung quietschten bald die Bremsen der Polizeiwagen vor der Unglücksvilla. Aus dem ersten stiegen zwei Flics in Uniform und zwei Zivile, ein schmächtiges Kerlchen mit Arztkoffer und Florimond Faroux, den schokoladenbraunen Hut auf Sturm. Aus dem zweiten Wagen stieg nichts und niemand. Das war die Ambulanz. Sie war gekommen, um was einzusammeln.

„Und?" dröhnte die Stimme des Kommissars. „Sie wissen natürlich wieder Bescheid, hm? Ach, Marc Covet ist auch hier? Das vereinfacht die Dinge. Was tun Sie hier, im Smoking?"

„Nur keine Aufregung!" beruhigte ich hin. „Schwarz paßt zur Beerdigung."

„Hm. Also, was ist los?"

Ich klärte ihn auf. Wie wir hier angekommen waren, warum, was wir entdeckt hatten usw.

„Gut", sagte er. „Wo ist die Leiche?"

„Sie ist noch nicht ganz soweit. Ich . . ."

„Und wo ist sie?"

„Oben."

„Los, kommen Sie Doktor. Und Sie auch, Burma. Covet, bleiben Sie hier. Privatdetektive reichen mir schon zu meinem Glück. Brauch nicht noch Journalisten dazu . . ."

Wir betraten das Sterbezimmer.

„Nichts berührt?" fragte der Kommissar.

„Nichts", erklärte ich.

„Sie scheinen Gefallen am Film zu finden. Leibwächter von Grace Standford . . . Waren Sie auch ihr Leibwächter?"

„Nein."

40

„Haben Sie für sie gearbeitet?"

„Ja. Als Double in ihrem nächsten Film."

„Quatschkopf", knurrte der Arm des Gesetzes.

Der Arzt untersuchte Lucie Ponceau. Faroux stand mitten im Zimmer und betrachtete Wände, Möbel, Bilder. Ich betrachtete angestrengt die Spitzen meiner Lackschuhe. Der Inspektor auf dem Treppenabsatz erforschte sein Gewissen, ein Streichholz zwischen den Zähnen.

„Starke Intoxikation", stellte der Arzt nach einer Weile fest. „Ein tödlich wirkendes Gift. Hier, das hab ich neben ihr gefunden, Kommissar."

Ganz vorsichtig reichte er Faroux eine kleine Metalldose. Sie enthielt flaches, bräunlichrotes Gebäck. Roch stark nach Mohn. Damit konnte man eine ganze Rhinozerosherde umbringen! Oh, reines, feines, stark wirkendes Opium!

„Lag da noch ein Deckel?" fragte Faroux, als wär das alles, was ihm dazu einfiel.

„Hier."

Der Kommissar schloß die Dose, wickelte sie in ein Taschentuch und ließ alles in seiner Tasche verschwinden. Ich machte mich hüstelnd bemerkbar.

„Wird sie überleben?" fragte ich.

Der Arzt sah mich an, als käm ich grade vom Mond.

„Das ist kein Film mehr", sagte er. „Sie ist gestorben, während ich sie untersuchte."

Diese Feststellung erinnerte ihn daran, daß er seinen Hut noch aufhatte. Er nahm ihn pietätvoll ab, was sehr komisch wirkte.

„Hm", machte Florimond. „Sagen Sie, Doktor, hat sie diesen Dreck häufiger gefressen?"

„Kann ich Ihnen nicht sagen. Nach der Autopsie wissen wir mehr."

„Immerhin ist das ja kein Teegebäck, das man jemandem eintrichtern kann, wenn der's nicht will, oder?"

„Nein. Es gibt auch keine Spuren von Gewalt. Offensichtlich hat sie das Gift freiwillig eingenommen."

„Also Selbstmord?"

„Sieht ganz so aus."

„Eine Verrückte mehr", schimpfte der Kommissar. „Weniger, besser gesagt. Was halten Sie davon, Burma?"

„Nicht verrückt", erwiderte ich. „Müde. Erschöpft. Angewidert. Kann vorkommen. Marc Covet wird's Ihnen bestätigen: eine ängstliche Frau, immer im Zweifel. Ganz besonders in den letzten Tagen. Sie war an einem Wendepunkt ihrer Laufbahn angelangt. Stellen Sie sich vor, Faroux: fünfzehn Jahre hat sie nicht vor der Kamera gestanden. Vergessen von Produzenten, Kollegen, vom Publikum. Und dann gibt ihr ein mutiger Regisseur eine Chance: der junge Jacques Dorly. Und was für eine Chance! Hab eben den Film gesehen. Der taugt nur was, weil diese Frau die Hauptrolle spielt. Eine Frau, die man für erledigt hielt... die sich selbst für erledigt hielt. Was sie jetzt ja auch ist, aber ganz anders. Am Ende aller Hoffnungen. Sie hat *Brot für die Vögel* gedreht, weil diese Leute ihren Beruf im Blut haben. Sie können einfach nicht nein sagen. Aber Lucie Ponceau fragt sich die ganze Zeit – krankhaft, ich geb's zu –, ob sie keinen Fehler gemacht hat, ob sie nicht besser in der Versenkung geblieben wär. Alle erzählen ihr vor, sie sei wunderbar. Aber sie ist zu lange im Geschäft, um nicht zu wissen, daß man nicht immer alles glauben darf, was einem die Leute erzählen. Und selbst angenommen, ihr Comeback gelingt mit diesem Film: wird sie mit dem Erfolg Schritt halten können? Denn es werden weitere Engagements auf sie zukommen, zwangsläufig. Und vielleicht ist sie ja gar nicht so gut, wie alle meinen. Heutzutage sind wir daran gewöhnt, daß Schauspielerinnen mit dem Hintern ihr Geld verdienen. Wenn sie damit wackeln, nur um einen Zehn-Zeilen-Text aufzusagen, nennt man sie gleich hochtalentiert. Unser Urteilsvermögen ist zum Teufel. Ihrs vielleicht nicht, geschärft wie nie. Ich weiß nicht... die Idee ist mir nur so gekommen. Mit anderen Worten: ihr ist alles lieber, als endgültig baden zu gehen, nachdem sie wieder so weit oben war. An der Premiere im *Ruban Bleu* nimmt sie nicht teil. Sie bleibt zu Hause, heimlich, still und leise, eine nette alte Dame, mitten in ihren Erinnerungen. Und in einer letzten theatralischen Geste, genau zu der Zeit, als die Vorführung beginnt..."

„Genug geredet", unterbrach mich Faraux. „Hab ich doch gesagt: völlig verrückt. Ihre Meinung, Doktor?"

„Über die Theorie von Monsieur?" fragte der Arzt lächelnd. „Das ist Psychologie. Vielleicht stimmt's? Vielleicht ist es nur Blabla?"

„Kopfarbeit, mein Lieber", sagte ich. „Was anderes, Faroux..."

„Nur zu", knurrte der Kommissar. „Nach der Selbstmordthese beweisen Sie uns jetzt sicher glasklar, daß ein Sadist die arme Frau zerstückelt hat."

„So weit würde ich nun doch nicht gehen. Aber nehmen Sie doch bitte zur Kenntnis, daß Mademoiselle Ponceau eine ungewöhnliche Menge Rauschgift zu Hause hatte, selbst für jemanden, der sich so richtig den Magen verderben will. Wenn die Autopsie ergibt, daß sie nicht rauschgiftsüchtig war – was eine Erklärung für das Opiumlager sein könnte –, dann ist es klar, daß es ihr jemand besorgt hat. Eine schöne Drecksau, dieser Jemand, so ganz nebenbei gesagt..."

Ich sah in Großaufnahme vor mir, wie Faroux seinen Mund sperrangelweit aufriß und ihn dann wieder zuklappte.

„Tja", zischte er.

„Jetzt sind Sie dran mit Kopfarbeit", sagte ich.

* * *

Bevor der Kommissar Anweisungen gab, die Leiche abzutransportieren, ließ er routinemäßig noch überall rumschnüffeln. Dabei kam noch ein drittes Album zum Vorschein, vollgestopft mit Fotos von jungen Männern, die meisten mit zärtlicher Widmung.

„Manche mögen's jung", bemerkte der Kommissar.

„Kommt drauf an, wann die Fotos gemacht worden sind", sagte ich. „Vielleicht haben die heute alle schon einen langen weißen Bart."

In diesem Augenblick drang Lärm aus dem Erdgeschoß zu uns. Wir eilten aus dem Sterbezimmer.

„Was ist los?" rief Faroux und beugte sich übers Geländer.

„Hausangestellte und Leute vom Film", erklärte der Inspektor unten. „Behaupten sie."

„Ich komm runter."

Ich ging ebenfalls nach unten. In der Eingangshalle standen außer Marc Covet und den Hütern des Gesetzes sechs verwirrte Personen. Die drei Kerle in Smoking waren Sammy Bochra, Produzent von *Brot für die Vögel*, Jacques Dorly, Regisseur, und sein Erster Assistent Norbert, der Mann, der eben am Telefon so oft Cambronne zu Hilfe gerufen hatte. Dabei wäre das, wofür er bei den Dreharbeiten zu sorgen hatte, eher am Platze gewesen: Ruhe und Frieden. Das Trio wurde von einer langen Bohnenstange begleitet. Flache Schuhe, flache Brust, glatte Haare. Sah aus wie'n Skriptgirl. War auch eins. Hinter der Künstlerriege standen zwei nette alte Leute im Sonntagsstaat. Sie gaben an, das Ehepaar Baldi zu sein, Hausangestellte von Mademoiselle Ponceau.

„Was ist denn passiert?" erkundigte sich Jacques Dorly, leicht beunruhigt.

„Nichts Besonderes", bemerkte der brutale Kommissar trocken. „Mademoiselle Ponceau hat Selbstmord begangen."

Das Filmteam, männlich wie weiblich, fluchte lautstark vor sich hin. Neorealistische Flüche, die kein um seine Zukunft besorgter Dialogschreiber verwendet hätte, aus Furcht vor der Zensur. Die beiden netten Alten stießen nur einen leisen Seufzer aus.

Faroux setzte dem aufgeregten Hin und Her ein Ende, indem er uns alle in den Salon gehen ließ. Dort konnte er seinen Pflichten besser nachkommen als in der Eingangshalle. Sofort begann er mit der Vernehmung.

Das Ehepaar Baldi, Baptiste und Jeanne, wurde von allen Seiten mit Fragen überschüttet. Sie sagten aus, Mademoiselle habe heute alleine sein wollen und ihnen den ganzen Tag frei gegeben. Die beiden kamen gerade von Bois-Colombes zurück, wo sie Verwandte besucht hatten. Bevor sie morgens weggegangen waren, hatten sie die Mahlzeiten für Mademoiselle vorbereitet und den Tisch gedeckt. Das Essen war noch unberührt. Lucie Ponceau hatte ihren Appetit für was anderes aufgehoben. Ja, Mademoiselle habe heute alleine sein wollen. Habe sie vielleicht nicht an eine zweite Karriere geglaubt? Na ja, seit ein paar Tagen sei sie traurig gewesen. Häufiger als sonst habe sie von früher erzählt. Aber die beiden Alten hatten keine Erklärung für den Selbstmord. Sie konnten es einfach nicht verstehen. Wenn sie auch nur das Geringste geahnt hätten, wären sie doch nicht nach Bois-Colombes gefahren... Hatte Mademoiselle Drogen genommen? Getrunken? Die beiden widersprachen lebhaft solchen Unterstellungen. Keine Tür war abgeschlossen gewesen, jeder hatte ins Haus gekonnt. War das so üblich? Nein, das sei nicht üblich gewesen, antwortete das Ehepaar Baldi. Aber Mademoiselle habe sich nie darum gekümmert, nicht wahr? Also habe sie es möglicherweise einfach vergessen. Und wenn sie sich habe umbringen wollen, habe sie doch wohl andere Sorgen gehabt, als die Türen abzuschließen...

„Das wär alles im Augenblick", sagte Faroux.

Dann nahm er sich Jacques Dorly vor. Der junge Regisseur sagte ungefähr folgendes aus:

„Mademoiselle Ponceau hat mir gegenüber den Wunsch geäußert, nicht an der Premiere teilzunehmen. Sie hatte Zweifel, Angst... Großer Gott! Möchte wissen, wovor sie Angst hatte. Seit heute abend ist sie die Königin der Siebten Freien Kunst! Na ja... äh... war, wollte ich sagen... Also, ich hab ihren Wunsch respektiert. Nach der Vorführung wollte ich hierher kommen und ihr meine Anerkennung und meine Glückwünsche aussprechen. Zusammen mit Monsieur Bochra, dem Produzenten, meinem Ersten Assistenten und dem Skriptgirl. Wir konnten nicht früher hiersein, weil... Sie wissen doch bestimmt, wie so was abläuft, nicht wahr?... Man kann nicht alle Leute sofort rausschmeißen, schon gar nicht die Langweiler. Aber ich hab Norbert beauftragt, Lucie anzurufen. Hat leider nicht geklappt. Entweder ging niemand dran, oder er hat sich verwählt ... übrigens zweimal dieselbe falsche Nummer. Seltsam, nicht wahr?"

„Er hat sich nicht verwählt", mischte ich mich ein. „Ich bin drangegangen, konnte Ihrem Assistenten aber schlecht am Telefon erklären, daß Mademoiselle Ponceau im Sterben lag. Ich wartete auf die Herren von der Polizei. Kommissar Faroux weiß Bescheid."

„Sind Sie auch von der Polizei?"

„Verwandt. Nur verwandt."

„Verwandt? Mit wem?"

„Mit der Polizei", unterbrach Faroux ungeduldig mein Versteckspiel. „Zur Sache, Monsieur Dorly. Was geschah dann?"

„Das ist alles. Entschuldigen Sie, aber mehr kann ich dazu nicht sagen."

„Anscheinend hatte Mademoiselle Ponceau Mühe, an eine zweite Karriere zu glauben. Stimmt's?"

„So ungefähr, ja. Sie war nervös, sehr empfindlich, eine Künstlerin eben. Sie zweifelte an sich selbst, ja. Aber ich hab das alles für eine Art Koketterie gehalten. An Depression hab ich nicht gedacht. Und daß sie heute abend nicht an der Premiere teilnehmen wollte, hab ich nicht als Beleidigung aufgefaßt, wenn Sie wissen, was ich damit meine. Ich konnte sehr gut verstehen, daß sie nichts von der Bewunderung und Anerkennung sehen oder hören wollte. Sie verachtete die, die sie fünfzehn Jahre lang nicht beachtet hatten. Ich hielt das für einen legitimen Racheakt."

„Schön ..." Faroux sah mich an. „Los, Burma!"

„Wohin?"

„Entwickeln Sie Ihre Theorie."

Ich entwickelte sie. Als ich fertig war, herrschte bedrückendes Schweigen. Der Kommissar beendete es:

„Sie waren doch intim mit ihr, Monsieur Dorly ... äh ... Ich wollte sagen, Sie kannten sie besser als wir alle. Ich, zum Beispiel, hab sie mal im Kino gesehen. Ist schon 'ne verdammte Ewigkeit her ..."

„Wir werden alle nicht jünger", tröstete ich meinen Freund.

„... Also, Monsieur Dorly: Paßt die Theorie, die Sie soeben gehört haben, zum Charakter der Verstorbenen?"

Der Regisseur schluckte erst mal. Dann sagte er tonlos:

„Das paßt, ... paßt verdammt gut zu ihr. Ich weiß nicht, ob das so abgelaufen ist, aber auf jeden Fall ist die Erklärung genial."

„Hier geht's nicht um Genie. Ist die Erklärung stichhaltig?"

„Ja, Herrgott nochmal!" Jetzt erst schien sich der Filmemacher des Dramas richtig bewußt zu werden. Sein Gesicht veränderte sich. „... Ich hätte dran denken müssen, an die Möglichkeit einer solchen Wahnsinnstat! Hätte Verdacht schöpfen müssen. Das war doch nicht mehr normal, diese Unruhe, die Zweifel... Ich hätte..."

„Ja, Jacques, Sie hätten", schnauzte Sammy Bochra seinen Regisseur an.

Den nächsten Film, den er mit Lucie Ponceau drehen wollte, konnte er zu Grabe tragen. Und er scheute sich nicht, seinen Ärger zu zeigen. Jacques Dorly warf ihm einen schrägen Seitenblick zu.

„Nahm sie Drogen?" fragte Faroux.

„Nicht daß ich wüßte", sagte der Regisseur. „Aber manchen gelingt es, das geheim zu halten."

„Schön... Die Ermittlungen werden wahrscheinlich auf Selbstmord schließen lassen. Jedenfalls..." Der Kommissar sah den Produzenten an. „... wird die Publicity für den Film nicht darunter leiden. Im Gegenteil."

Genausogut hätte er auf den Boden spucken können.

* * *

Endlich hatte Florimond Faroux keine Verwendung mehr für Covet und mich. Wir stiegen in meinen Dugat.

„Schnell zur Redaktion", trieb mich der Journalist an. „Mein Artikel muß noch in die erste Ausgabe."

Ich gab Gas. Um ein Haar hätte ich den Luxus-Schlitten

von Sammy Bochra & Co. gerammt, in dem jede Menge Blumen lagen. Eigentlich waren sie dafür gedacht gewesen, den Erfolg von Lucie Ponceau zu feiern. Jetzt konnten sie immerhin als Beerdigungsschmuck dienen.

Ich setzte Marc Covet vor dem *Crépuscule* ab. Dann fuhr ich zum Cosmopolitan zurück. Mein Bett war leer. Kein Starlet oder so was Ähnliches zu sehen. Aber morgen gab's ja auch noch eine Nacht. Die Nächte meines Urlaubs in dieser piekfeinen Gegend schienen sich abwechslungsreich zu gestalten. Gestern eine lebendige, quicklebendige Überraschung, heute eine, die zuerst im Sterben lag und dann mausetot war. Ich legte mich ins Bett und schlief wie ein Toter.

5.

Paradiesvögel

Am nächsten Morgen wachte ich gegen elf Uhr auf. Ich bat den Zimmerkellner, mir zusammen mit dem Frühstück sämtliche Tageszeitungen zu bringen. Marc Covet war schneller als alle seine Kollegen gewesen. In der Frühausgabe des *Crépu* wurde bereits über das Drama am Parc de Monceau berichtet. Natürlich auf der ersten Seite, über drei Spalten. Unter der fettgedruckten Überschrift GEHEIMNISVOLLER SELBSTMORD VON LUCIE PONCEAU las ich einen vollständigen Bericht der nächtlichen Ereignisse und dazu noch meine Theorie.. Ich wurde ausführlich zitiert. Spielte sozusagen die Hauptrolle, neben der Toten. In der zweiten Ausgabe des *France-Soir* stand ebenfalls was. Als Zugabe hatten sie noch eine Verlautbarung der Polizei abgedruckt. Sehr vage, wie üblich. Ich rief Faroux an.

„Hallo, Faroux? Hier Nestor Burma."

„Hm ... Ja?"

„Schon obduziert?"

„Hmja."

„Rauschgiftsüchtig?"

„Hm ... nein."

„Und ... hm ..."

„Hmja."

Er legte auf. Ich beendete mein verspätetes Frühstück, rauchte eine Pfeife und dachte nach. Dann nahm ich ein Bad, rasierte mich und zog mich an. Als ich meine Schuhe zuband, läutete das Telefon. Marc Covet war am Apparat.

„Glückwunsch", sagte ich.

„Interessanter Artikel, nicht wahr?" plusterte er sich auf.

„Ich war sogar schnell genug für die Provinzausgabe. Ich hoffe, es bleibt nicht bei dem einen Knüller... Mit Ihrer Hilfe."

„Hab Ihnen aber nicht viel zu erzählen."

„Abwarten, Burma. Ich fühle, daß Sie was haben werden. Montferriers Sekretärin hat mich grade angerufen. Sie kommen auch gleich dran."

„Wer ist Montferrier?"

„Filmproduzent. Jean-Paul Montferrier. Er möchte Sie sprechen. Ich nehme an, das hängt mit Lucie Ponceau zusammen. Scheint bei ihm wie eine Bombe eingeschlagen zu haben, mein Artikel. Aber mich hat er nur angerufen, weil ich Sie kenne, nicht weil ich Journalist bin. Bei Ihnen zu Hause und im Büro hat sich niemand gemeldet. Ich habe gesagt, daß Sie vorübergehend im Cosmopolitan wohnen. Gut?"

„Gut. Aber erklären Sie doch mal..."

„Kann Ihnen auch nicht mehr sagen. ich weiß nur, daß Montferrier Sie treffen will und daß er im Augenblick nicht in Paris wohnt. Treibt sich irgendwo an der Côte d'Azur rum. Wenn er sich extra herbemüht, muß sich das wohl lohnen."

„Bestimmt."

„Und wenn sich das lohnt..."

„... werd ich Sie nicht vergessen. Aber wo ich Sie schon mal an der Strippe hab... Produzent, sagen Sie? Hoffentlich nicht so einer wie Laumier...?"

„Um Himmels willen, nein! Ziemlich jung, intelligent, reich. Macht dem französischen Film alle Ehre. Im Moment soll er ein Superding drehen, drei- oder vierdimensional, mit Tony Charente. Für sie aber nicht interessant. Gehört zu seinem Job, nicht zu Ihrem."

„Kommt drauf an", sagte ich nachdenklich. „Tony Charente, sagten Sie?"

„Ja."

„Der Name sagt mir was."

„Ach wirklich?" lachte der Journalist. „Sonst wären Sie

auch der einzige, der den nicht kennt. Er hat den harten Jungen in *Métro-Schnee* gespielt."

Ich sagte „Ach so", dachte aber an was anderes als an den Gangsterfilm.

„Vielen Dank erst mal, mein Lieber", verabschiedete ich mich. „Werd dann mal auf diesen Anruf warten. Ich sag Ihnen Bescheid."

Wir legten auf. Ich zündete mir meine Pfeife an und machte es mir im Sessel bequem. Vielleicht hatte ich ja beim Film eine Zukunft. Laumier... Montferrier... Das Läuten des Telefons riß mich aus den schönsten Träumen.

„Hier Nestor Burma."

„Hier Sekretariat Jean-Paul Montferrier, Montferrier-Globe-Films", meldete sich eine goldene Stimme. „Mademoiselle Annie. Sie sind Nestor Burma..." Anscheinend hatte sie Notizen vor ihrer Nase liegen. „... Privatdetektiv, Leibwächter von Grace Standford?"

„Ja, Mademoiselle."

„Sie haben heute nacht die letzten Minuten von Lucie Ponceau miterlebt?"

„Ja, Mademoiselle."

„Marc Covet vom *Crépuscule* hat uns Ihre Telefonnummer gegeben."

„Ich weiß. Und daß Monsieur Montferrier mit mir sprechen will, weiß ich auch."

„Ja, Monsieur. Monsieur hat einen Auftrag für Sie. Könnten Sie heute nachmittag um... sagen wir... fünfzehn Uhr in die Résidence Montferrier kommen, nach Neuilly?"

Sie gab mir die genaue Adresse.

„Heute nachmittag um fünfzehn Uhr also?" fragte ich nach.

„Ja, Monsier."

„Ich dachte, Monsieur Montferrier wär an der Côte d'Azur?"

„Monsieur befindet sich auf dem Weg nach Paris. In seinem Privatflugzeug."

„Sehr schön! Also fünfzehn Uhr, heute nachmittag."

„Ich kann Ihnen einen Wagen schicken, Monsieur."

„Vielen Dank, aber ich hab einen eigenen."

„Wunderbar. Auf Wiedersehen, Monsieur."

„Auf Wiedersehen, Mademoiselle."

Ich legte den Hörer auf die Gabel und grinste ihn an. Privatflugzeug! Donnerwetter!

* * *

Die Nachmittagssonne brannte heiß auf die Résidence Montferrier. Ein prächtiges Anwesen, schätzungsweise kaum kleiner als ein durchschnittliches Département. Die hohe Mauer war mit Pflanzen bewachsen. Auf der anderen Seite wurde das Gründstück durch einen richtigen Mischwald begrenzt. Ich hielt vor dem gewaltigen schmiedeeisernen Tor. Ein Pförtner öffnete und wies mir den Weg zum Haus, das man am Ende einer asphaltierten Allee erahnen konnte. Die Allee war so breit wie eine ausgewachsene Nationalstraße. Das Laub der Bäume bildete ein kühles Gewölbe. Ich parkte meinen Wagen vor einem ockerfarbenen Kasten. Die Verwirklichung des Traums eines kubistischen Meisters. Schon das Erdgeschoß hatte nichts von einer Überschwemmung zu befürchten, so hoch lag es. Eine breite Treppe mit mehreren Absätzen führte zum Eingang. Insgesamt wenigstens vierzig Stufen aus dickem, meergrünem Glas. Man hatte den erfrischenden Eindruck, daß ständig Wasser darunter plätscherte. Trauerweiden weinten darüber, daß sie unterhalb dieses Bauwerks angepflanzt worden waren. Eine richtige Filmkulisse.

Ich stieg aus und wagte mich auf die Glastreppe. Die Eingangstür öffnete sich, und vor mir stand ein klassischer Diener. Unangenehm weißblond, fast wie ein Albino. Schien mir aufgelauert zu haben. War ich Nestor Burma? Ja, war ich.

„Monsieur erwartet Sie. Wenn Monsieur mir folgen wollen..."

Wir durchquerten einen weitläufigen *living-room*, vollklimatisiert und totenstill, und ließen uns von einem Aufzug in die zweite Etage bringen. Hier erwartete uns ein Flur, der Emil Zatopek zum Training dienen konnte. Der Domestik klopfte an eine der Türen, meldete mich und trat zur Seite, um mich eintreten zu lassen.

Jean-Paul Montferrier thronte auf einem antiken Stuhl mit hoher Rückenlehne hinter einem Schreibtisch, der den hier üblichen Maßen entsprach. Das Zimmer erinnerte an ein Museum. Überall wertvolle Bilder, antike Möbel. Die breiten Fenster gingen auf den Park. Sie waren geöffnet; aber der Windhauch, der die Zeitung in der Hand des Hausherrn leicht bewegte, wurde von einem unsichtbaren Ventilator verursacht.

„Sehr erfreut, Ihre Bekanntschaft zu machen, Monsieur Burma", begrüßte mich mein Gastgeber.

Er kam auf mich zu, reichte mir freundlich die Hand. Ein Meter achtzig. Kräftig. In den Vierzigern. Kurzgeschnittenes Haar. Braungebrannt. Sympathische graue Augen hinter dicken Brillengläsern. Vergoldetes Gestell. Er rauchte Pfeife, was mir sehr angenehm auffiel. Nachdem wir uns begrüßt hatten, forderte er mich zum Sitzen auf und nahm wieder hinter dem Schreibtisch Platz. Dann schob er mir eine Tabakdose hin und reichte mir die Zeitung. Der *Crépu*. Hatte ich mir gedacht.

„Sie haben doch sicher den Artikel gelesen?"

„Ich hab ihn sogar erlebt."

„Ja, richtig. Lügt dieser Marc Covet?"

„Nicht mehr, als es sein Beruf erfordert."

Das Telefon in Reichweite des Produzenten machte sich bemerkbar.

„Entschuldigen Sie bitte", sagte er und nahm den Hörer ab. „Ja... ja... ach!" Eine ungeduldige Handbewegung. „Gut... na schön, geben Sie sie mir..." Seine Stimme wurde liebenswürdiger. „... Guten Tag, meine Liebe. Wirklich schwierig, das Inkognito zu wahren. Möchte wissen, wie die Staatsoberhäupter das fertigbringen! Neuigkeiten verbreiten sich in unseren Kreisen in Windeseile. Vierundzwanzig Bilder in der

Sekunde. Man weiß auf den Champs-Elysées also schon, daß ich einen Sprung von Cannes nach Paris gemacht habe? Erstaunlich... Ja... ja... ja... Ah! Die Besetzung ist so gut wie abgeschlossen... Drehen Sie im Moment nicht? Ach, Sie haben heute Drehpause... Aber natürlich würde ich Sie gerne treffen... mit Vergnügen..." Er sah auf seine Armbanduhr. „... Um fünf, wenn Ihnen das recht ist... Ja, genau... Bis später, meine Liebe, auf Wiedersehn."

Er legte auf, murmelte etwas, nahm den Hörer wieder ab.

„Ich bin für niemanden zu sprechen, Annie! Haben Sie mich verstanden? Für absolut niemanden. Außer für Mademoiselle Falaise. Sie kommt so in zwei Stunden. Geben Sie Anweisung nach vorne ans Tor. Und schicken Sie Firmin rein..."

Die Hand noch am Apparat, lächelte er mir zu.

„Entschuldigen Sie", wiederholte er. „Diese Künstler..."

Er ließ den Satz unvollendet. Ich lächelte verständnisvoll zurück. Mein Lächeln wurde noch breiter, als der Albino-Diener eintrat und eine Hausbar vor sich herschob. Geschickt servierte er uns erfrischende Getränke und verschwand dann wieder. Der Hausherr trank einen Schluck, setzte sein Glas ab und zeigte wieder auf die Ausgabe des *Crépuscule*.

„Ihr Freund", sagte er, „schreibt von einer ungewöhnlich großen Menge Opium, die man bei Lucie Ponceau gefunden haben soll. Ist das richtig?"

„Absolut richtig."

„Nicht übertrieben?"

„Überhaupt nicht."

Er runzelte die Stirn.

„Das ist genau der Punkt, der mich interessiert. Dazu muß ich Ihnen sagen, Monsieur Burma: Ich kannte Mademoiselle Ponceau sehr gut. Sie nahm keine Drogen."

„Das hat auch die Autopsie ergeben, Monsieur."

„Ah!" Er trommelte auf die Schreibtischplatte. „Kennen Sie Tony Charente?"

Ich hatte nicht den Eindruck, daß er das Thema wechselte. (Er tat es tatsächlich nicht.)

„Ein berühmter Schauspieler", gab ich zur Antwort.

„Berühmte Schauspieler sind Menschen wie alle anderen", belehrte er mich und verzog das Gesicht. „Dieselben Fehler, dieselben Schwächen. Man muß sie in der Hand haben, um irgendetwas von ihnen zu bekommen. Im Moment bereite ich einen ganz besonderen Film vor. Tony Charente spielt darin die Hauptrolle. Ich bin sehr daran interessiert, daß er vor Ende der Dreharbeiten nicht ins Gras beißt. Deswegen halt ich ihn bei mir unter Verschluß, sozusagen. Hab ihm einen Bungalow auf meinem Grundstück zur Verfügung gestellt. Er bekommt alles, was er will, nur nicht die Möglichkeit, Dummheiten zu machen. Er ist zuviel Geld wert für mich. Finden Sie mich zynisch, Monsieur Burma?"

„Sagen wir: offen, Monsieur."

„Zynisch paßt besser, meiner Meinung nach. Vielleicht, weil in unserem Milieu die Neigung besteht, alles zu übertreiben. Auch die Angst... Also, ich mach mir Sorgen um Tony. Bis jetzt hat er mir noch keinen Anlaß dazu gegeben..."

So langsam wurde mir der Zusammenhang zwischen dem Hauptdarsteller und dem Tod von Lucie Ponceau klar. Ich gab eine Probe meines Scharfsinns.

„Ich verstehe", sagte ich. „Er nimmt Drogen."

„Nahm", korrigierte Montferrier. „Er nahm Drogen. Hat mehrere Entziehungskuren hinter sich. Haben Sie von Raymond Mourgues gehört?"

„Auch Schauspieler?"

„Und rauschgiftsüchtig. Ebenfalls von seinem Laster geheilt... bis er wieder rückfällig wurde. Ergebnis: unmöglich, den Film ordentlich zu Ende zu drehen, in dem er die Hauptrolle spielte. Genauso der Fall Pierre Lunel. Dasselbe Drehbuch. Jetzt verstehen Sie vielleicht besser, warum ich, aus Erfahrung klug geworden, meine Vorsichtsmaßnahmen treffe... Das tragische Ende der armen Lucie wird viel Staub aufwirbeln. Die Journalisten werden es bis aufs letzte ausschlachten. Überall wird von Rauschgift die Rede sein. Gefällt mir gar nicht, daß sich eine Frau wie Lucie, die nicht drogenabhängig war, eine so riesige Menge Opium besorgen konnte. Kurz und gut, ich fürchte, daß Tony wieder auf den Geschmack kommen und rückfällig werden könnte, verstehen Sie das?"

„Sehr gut. Ich versteh nur nicht, was Sie dabei von mir erwarten, Monsieur."

„Ich möchte, daß Sie Tony überwachen, Monsieur Burma. Sie sollen verhindern, daß er wieder rückfällig wird. Als Leibwächter, in einem etwas speziellen Sinn."

Er trank sein Glas leer. Ich räusperte mich:

„Hm... Könnten Sie mich mit Tony Charente bekanntmachen? Ich möchte mir vorher gerne eine Meinung über seine Person bilden. Wir Privatdetektive haben auch unsere Schwächen... Eigenarten..."

* * *

Der Bungalow, den der Produzent seinem Star zur Verfügung gestellt hatte, befand sich am anderen Ende des Parks der Résidence Montferrier. Ein hübsches Häuschen, vom Sockel bis zum Kamin mit den schönsten Blumen geschmückt. Nicht weit davon gab es einen Tennisplatz und einen Swimming-pool. Hundert Jahre alte Bäume schützten den Bungalow vor neugierigen Blicken.

Ich erkannte Tony Charente sofort. Entweder ist man Privatdetektiv, oder man ist es nicht. Allerdings war er alleine, was die Fehlerquote entscheidend senkte. Aber trotzdem. Sein Gesicht war mir sehr vertraut, weil ich es noch vor kurzem gesehen hatte – und zwar nicht im Kino, obwohl ich anläßlich eines Dramas seine Bekanntschaft gemacht hatte... Sein Foto befand sich zusammen mit vielen anderen im Archiv von Lucie Ponceau.

Als wir hereinkamen, lag der Schauspieler auf einem Sofa, nur mit sehr kurzen Shorts bekleidet. Er las... oder tat so.

Denn der junge Renommierhund hatte ihm bestimmt unser Kommen gemeldet. Nicht ausgeschlossen, daß eine kleine Inszenierung stattgefunden hatte. Das Kissen sah so aus, als wär's in aller Eile über etwas geworfen worden. Der Stoff, der unter ihm hervorsah, glich mehr einem Stück Rock als einem Schachbrett, trotz des Musters. Sanfte Musik klang leise aus einem kombinierten Radio-Fernsehapparat.

Wie wir es vereinbart hatten, stellte mich Montferrier als Arthur Martin vor und verlieh mir bei dieser Gelegenheit auch noch gleich irgendeinen Posten in der Filmbranche.

Tony Charente besaß nicht die Anmut des Fräuleins mit ähnlichem Namen, besser bekannt in der Geschichte Frankreichs als Madame de Montespan. Der Schauspieler ging langsam aber sicher in die Breite. Sein Gesichtsausdruck war mit der Zeit zu wandlungsfähig geworden, um durchschaubar zu sein. Das machte die Gewohnheit, auf Kommando die unterschiedlichsten Gefühle auszudrücken. Bei dem Versuch, seine Gedanken zu erraten – falls er sich welche machte! –, ging es mir nicht besser. Alles in allem verströmte der Schauspieler eine entsetzliche Langeweile, obwohl er strahlte wie ein Honigkuchenpferd. Da war natürlich die Gefahr für einen ehemaligen Rauschgiftsüchtigen groß, seiner Schwäche nachzugeben. Geld war ja kein Problem.

Während der nächsten zehn Minuten einer nichtssagenden Unterhaltung hatte ich Gelegenheit, die berühmte Stimme des Stars zu bewundern. Wirklich charmant. Dann verabschiedete sich Montferrier. Der Schauspieler war überrascht, daß ich mich hier so einnistete. Er machte keinen Hehl daraus. Entschieden marschierte ich offen drauflos:

„Ich muß Ihnen etwas gestehen, Monsieur Charente. Ich hab nichts mit dem Film zu tun, höchstens als Zuschauer. Ich heiß auch nicht Arthur Martin. Die Idee, mich so vorzustellen, kam von mir. Ich wollte Sie nicht erschrecken. Privatdetektive werden nämlich immer schief angesehen, ich weiß nicht, warum. Darf ich mich nochmal vorstellen? Mein Name ist Nestor Burma, Privatdetektiv."

Er sah mich mit erstaunten Kuhaugen an.

„Kenn ich", brachte er dann hervor. „Sie waren doch der Leibwächter von Grace Standford, nicht wahr?" Er zeigte auf den Radio-Fernsehapparat und fügte hinzu: „Und Sie haben auch die Polizei bei dem Drama alarmiert, am Parc de Monceau?... Sie erschrecken mich nicht, aber... warum sind Sie hier? Was hab ich..." Er schluckte. „Was hab ich mit dem Tod von Lucie Ponceau zu tun?"

Die Stimme aus Gold verwandelte sich ganz langsam in Blech.

6.

Der charmante Herzensbrecher

Ich blies den Rauch an die Decke.

„Nur keine Aufregung", beruhigte ich ihn. „Ich will Sie weder überfallen noch erschrecken wie einen kleinen Jungen – trotz Ihrer Shorts. Ich wollte offen zu Ihnen sein. Montferrier möchte, daß ich Leibwächter bei Ihnen spiele."

Tony Charente lachte schallend auf.

„Leibwächter? Verwechselt er mich mit Grace Standford? Leibwächter!"

„Man kann's auch anders nennen. Kindermädchen würde zum Beispiel besser passen. Sie haben zwar nichts mit Lucie Ponceaus Selbstmord zu tun, aber genau deshalb bin ich hier. Kann ich mit Ihnen von Mann zu Mann sprechen, Monsieur Charente?"

Dieser rauhbeinige Männerton schien ihm zu gefallen. Klang genauso wie die Texte, die er unter dem Mikrofongalgen von sich geben mußte.

„O.k.", sagte er, um im Ton zu bleiben.

„Montferrier hat mir anvertraut, daß Sie früher..." Ich tat so, als schnupfte ich, dann so, als setzte ich mir eine Spritze. Dazu kommentierte ich: „Das... oder das. Oder beides."

„Was mischt er sich denn da ein?" fragte der Schauspieler stirnrunzelnd.

„In Ihrer beider Interesse."

„Ach ja. Und ganz besonders im Interesse der Millionen, die ich für ihn bedeute, hm?"

„Kann sein. Aber gleichzeitig geht's um Ihre Gesundheit und Ihre Zukunft."

„Machen Sie sich mal keine Kopfschmerzen. Und welche

Rolle spielen Sie dabei?"

„Die Hauptrolle. Hab ich Ihnen doch schon gesagt. Kindermädchen. Ich soll Sie trocken halten. Eine einigermaßen bescheuerte Idee. Ich müßte an Ihnen kleben wie Ihr Schatten. Scheint mir schlecht möglich zu sein. Deswegen wollte ich Ihnen reinen Wein einschenken, bevor ich den Auftrag annehme. Moralpredigten sind nämlich nicht mein Fach. Aber Sie sind mir sympathisch. Werd mir Mühe geben. Jeder kann sich jederzeit Rauschgift besorgen, wenn er will. Aber ein Film wie der, den Montferrier mit Ihnen drehen will, den wird's nie mehr geben, wenn sie jetzt schlappmachen. Also, treffen wir ein Abkommen: Ich nehm den Auftrag an, und Sie versuchen, bis zum Ende der Dreharbeiten nicht durchzudrehen. Und wenn wir dann beide unser Geld im Sack haben und Sie Stoff brauchen, besorg ich Ihnen welchen, tonnenweise. Natürlich komm ich Sie hin und wieder mal besuchen. Muß so aussehen, als würd ich Sie überwachen. In Ordnung?"

Wie hatte Montferrier noch gefragt? *Finden Sie mich zynisch, Monsieur Burma?* Er hätte mich mal bei meinem Drahtseilakt hier sehen sollen!

„Sind alle Privatdetektive so dreist?" fragte Tony Charente. In seiner Stimme lag eine Spur von Bewunderung.

„Ich bin nicht dreist. Nur realistisch. Und so pfiffig wie Saint-Granier."

Er sah mich an und mußte lachen. Ein richtiges Lachen, kein Theater-Lachen.

„Nehmen Sie den Auftrag von Montferrier an, Monsieur Burma", sagte er, immer noch lachend. „Das ist der komischste Witz, den ich kenne."

„Tja. Ich hoffe, Sie haben alle Tassen im Schrank und machen keinen Scheiß. Ich muß Ihnen nämlich sagen: wenn Sie ausklinken, kann ich Sie nicht daran hindern."

„Zerbrechen Sie sich darüber nicht den Kopf. Ich brauch keinen Stoff. Morgen nicht, und übermorgen auch nicht." Er schwieg einen Augenblick und fuhr dann nachdenklich fort: „Sie müssen wissen, das war am Anfang meiner Karriere.

Damals hab ich ein Mädchen getroffen... so was findet man nicht oft bei Citroën, wo ich gearbeitet habe. Ich war nämlich früher Arbeiter, Eisen, Holz, Zement usw. Alle möglichen Berufe. Immer pleite. Und immer alleine..." Die goldene Stimme trat wieder in Aktion, bekam den entsprechenden pathetischen Tonfall. Er schaltete das Radio aus. Nichts sollte damit konkurrieren. „... Ich verbrachte meine Abende in den Kinos des Viertels. Konnte mich gar nicht satt sehen an meinen Lieblingshelden: Spencer Tracy und Jean Gabin. Zu Hause vor dem Spiegel spielte ich dann die Rollen nach..." Er lachte bitter. „... Der Spiegel war gesprungen, sternförmig..."

„Vielleicht ein gutes Omen."

„Ach was! Ich hatte früher mal Theater gespielt, als ich so siebzehn war. Und einmal hatte ich Schwein: Ich kriegte eine Statistenrolle in einem Film. Noch ein Job, der was einbringt."

„Ich weiß."

„Im Ernst?"

„Hab auch schon so einiges gemacht..."

„Dann wissen Sie ja, daß es in dieser Zunft genug Affen gibt. Einer von diesen Blödmännern wollte sich billig über mich lustig machen. Dreht Probeaufnahmen mit mir. Ich geb mein Bestes. Spencer Tracy und Jean Gabin stehen mir bei. Eine Woche später vertreibt sich irgendein Filmboß den verregneten Nachmittag damit, Probeaufnahmen anzusehen. Meine ist auch dabei. Einladung. Nebenrolle. Die einzige Nebenrolle, die ich jemals gespielt habe. Vom zweiten Film an war ich schon der Star. Irgendwelche Leute, die das besser beurteilen können als ich, haben was an meiner Stimme gefunden. Anscheinend hat sie was Charmantes an sich. Na ja, und bei dieser zweiten Produktion hab ich dann diese Frau kennengelernt. Leider rauchte sie. Und zwar keine Gauloises. Ich war jung, noch sehr naiv. Ich dachte, Rauschgift sieht nach viel Geld aus. Also fing ich an zu rauchen. Zu Anfang, weil ich diese Frau liebte – jedenfalls glaubte ich das. Sie hatte mich völlig in der Hand. Und hinterher nahm ich Rauschgift, weil ich sie verloren hatte. Seitdem bin ich... ja, sagen wir... älter geworden, reicher, erfahrener. Verlier nicht mehr so leicht den Überblick. Im Grunde bin ich ein Durchschnittsmensch geblieben. Montferrier sperrt mich hier in eine Art Goldenen Käfig. Wie Greta Garbo. Alles Publicity. Aber ich spiel mit. Werd auf dem Sockel bleiben, den er mir gezimmert hat. Ich langweile mich nicht mal. Kann mich über Kleinigkeiten freuen. Ein Durchschnittsmensch, wie ich schon sagte. Irgendwann such ich mir ein nettes Mädchen, das kochen kann und alles. Aber im Augenblick hab ich noch keine Langeweile."

Er versicherte es mir dreimal. Dreimal zuviel. Mußte ganz einfach hin und wieder Theater spielen. Wohl um in Form zu bleiben.

„Wenn's mir mal langweilig wird", fuhr er fort, „na ja, ganz einfach: ich brauch nur zu winken. Alle fressen mir aus der Hand. Aus der Hand von Tony Charente, besser gesagt. Denn als ich noch ganz einfach Dupont hieß, wie alle... Trotzdem, das ist doch herrlich, oder? Alle diese Weiber..."

Ich wußte nicht, warum er mir das erzählte. Vielleicht gehorchte er ja nur einem wirklichen Mitteilungsbedürfnis. Oder aber er spielte bei einem Fremden automatisch eine bestimmte Rolle, um jeden Preis. Vielleicht aber redete er nur soviel, um möglichst wenig zu sagen. Er verriet mir immer noch nicht, daß er mit Lucie Ponceau geschlafen hatte. Dabei hätte mich diese Enthüllung keineswegs geschockt! Jedenfalls zog er über einige seiner leichten Eroberungen her, daß mir beinahe die Ohren abfielen. Aber noch etwas anderes lösten seine Geschichten aus, womit er bestimmt nicht gerechnet hatte: Hinter dem Schauspieler wurde plötzlich eine Tür heftig aufgerissen, und ins Zimmer stürzte eine junge Frau, die offensichtlich gelauscht hatte. Oben herum war sie vollständig angezogen. Ihr Rock mit dem Schachbrettmuster lag aber immer noch unterm Kissen. Aber nicht deshalb war sie so rot im Gesicht. Das kam von der ehrlichen Entrüstung.

„Aha! So behandelt Monsieur uns also?" keifte sie fuchs-teufelswild. „Der große Herzensbrecher..."

Sie nahm kein Blatt vor den Mund. Konnte es an anderer Stelle auch besser gebrauchen. Als sie Luft holen mußte, lachte Tony Charente, der sich von seiner Überraschung erholt hatte.

„Also, das ist komisch. Dich hatte ich ganz vergessen."

„Ich werd *dich* jedenfalls nicht vergessen. Du siehst mich nicht wieder, da kannst du dich auf den Kopf stellen!"

Sie zog ihren Rock unter dem Kissen hervor, streifte ihn über, so gut es ging. Tony wollte ihr helfen. Sie stieß ihn wütend zurück.

„Aber, aber", sagte er besänftigend. „Ich hol den Wagen aus der Garage."

„Hau ab mit deinem Wagen", fauchte die Kleine. „Ich bin groß genug. Kann den Bus nehmen, zu Fuß gehen, per Anhalter fahren."

„Ach, Scheiße! Mach doch, was du willst!"

Sie stürmte schimpfend aus dem Bungalow.

„Etwas ist das auch meine Schuld", sagte ich.

„Eine verloren, zehn gewonnen", philosophierte er. „Was zu trinken?"

Auch sehr philosophisch. Aber die Auseinandersetzung mit seinem Schatz hatte ihm den Schwung genommen. Jedenfalls brachte er keinen vollständigen Satz mehr raus, bis wir uns verabschiedeten. Als gute Freunde.

Nachdenklich ging ich zum kubistischen Schloß zurück, wo mich Montferrier ungeduldig erwartete. Die unvorhergesehene Einlage im Bungalow hatte mich auf eine Idee gebracht. Vielleicht konnte ich noch jemanden hier einschmuggeln? Monique schien mir dafür sehr geeignet. Ich brauchte ihr nur einen Vertrag zu versprechen. Sie und Tony Charente würden ein hübsches Paar abgeben. Das Ideale Paar. Sie hatten beide nicht das Schießpulver erfunden. Aber dafür kannte ich mich ja damit aus. Film und Marionettentheater liegen näher beieinander, als man meint.

* * *

„Nun?" fragte Montferrier erwartungsvoll.

Bei ihm war jetzt eine junge Frau. Sah ganz so aus wie 'ne Sekretärin. War auch eine. Seine. Mademoiselle Annie.

„Ich nehm den Auftrag an", sagte ich. „Aber Sie verschwenden Ihr Geld. Wird nichts passieren."

„Ich schließ ja auch keine Feuerversicherung ab in der Hoffnung, daß mein Haus abbrennt. Welchen Eindruck haben Sie von Tony?"

„Sympathisch. Ein großes Kind."

„Genau. Deswegen sollen Sie ihn ja auch im Auge behalten…"

Mademoiselle Annie nahm einen Aktenordner und verschwand. Montferrier schrieb einen Scheck auf meinen Namen aus.

„Ich muß wohl nicht extra betonen, daß ich mich absolut auf Sie verlasse, oder? Wunderbar. Worüber haben Sie mit Tony gesprochen? Sie waren lange bei ihm…"

„Ich hab ihm erzählt, wer ich bin. Und als Erklärung für meine Anwesenheit hab ich ihm ein Märchen serviert."

Ich sagte nicht, welches…

„O.k.", stimmte Montferrier mir zu. „Sie sind der Fachmann! Hat er Ihnen sein Leben erzählt?"

„Zum Teil…"

Ich dachte, er würde mir was über die Romanze zwischen Lucie und Tony erzählen. Fehlanzeige. Vielleicht wußte er gar nichts davon.

„Wie Sie schon so richtig sagten: er ist ein großes Kind", bemerkte er nur nochmal.

Er sah auf seine Uhr. Das Telefon klingelte. Er nahm den Hörer.

„Ja… ja… führen Sie sie bitte hinauf."

Er legte auf, erhob sich.

„Morgen fliege ich wieder zur Côte", sagte er lächelnd. „Halten Sie sich an meine Sekretärin. Sie bleibt hier. Auf

Wiedersehen, Monsieur Burma."

Er begleitete mich bis zur Tür seines Büro-Museums. Wir gaben uns die Hand. Ich schritt durch den endlosen Korridor. Ein künstlicher Luftzug bekämpfte die Hitze. Endlich stand ich vor dem Aufzugsschacht. Gerade kam der Aufzug, an Bord der Albino und Denise Falaise. Die Schauspielerin war schöner denn je. Ihre Kleidung war von schlichter Eleganz: ein weiter Rock und ein hübsches Sonnenoberteil, das Arme und Schultern freiließ. Den Rücken bestimmt auch. Um den Hals hatte sie einen grünen Gazeschal geknotet. Firmin öffnete die Gittertür und trat zur Seite, um der Besucherin den Vortritt zu lassen. Sie stolperte und rempelte mich. Durch den Zusammenstoß wurde der Schal gegen ihr Gesicht gedrückt. Eine blonde Araberin.

„Oh, ich bitte vielmals um Entschuldigung", sagte sie höflich.

„Aber, ich bitte Sie..."

Wortreich entschuldigte ich mich bei ihr. Die Pflicht eines jeden galanten Herrn, dem soeben ein hoher Absatz die Zehen zerquetscht hat. Denise Falaise ging neben dem Domestiken den Korridor entlang. Ich sah ihr hinterher. Sie hatte einen schönen Rücken.

7.

Ein hübscher Artikel für Rabastens

Der Anblick von Denise Falaise rief mir wieder Laumier in Erinnerung. Ich hatte noch keine Zeit gehabt, ihn anzurufen. Also wußte ich auch noch nicht, warum er das Bedürfnis verspürte, mich nach unserem Boxkampf wiederzusehen. Na schön! Heute standen bei mir Produzenten auf dem Programm. Bis jetzt war es mir nicht schlecht bekommen. An der Place de l'Etoile hielt ich vor einem Bistro und ging in die Telefonzelle. CONcorde 78-56, stand in meinem Notizbuch. Das Studio, aus dem er mich angerufen hatte.

„Hier Studio Sonorécran", meldete sich eine neutrale Stimme.

„Monsieur Laumier dreht bei Ihnen, nicht wahr?"

„Ja, Monsieur. *Der Tod ernährt seinen Mann*."

„Wo befinden sich Ihre Studios?"

„Rue Marbeuf. Das weiß doch jedes Kind."

„Bin eben kein Kind mehr."

Ich fuhr zur Rue Marbeuf.

* * *

Auf den ersten Blick sah es so aus, als könnte da jeder rein. Die breite Toreinfahrt stand zwar sperrangelweit auf, aber wenn man mit seinem Wagen auf dem Parkplatz im Hof stand, begannen die Schwierigkeiten. Man mußte an einem ziemlich unfreundlichen Wachposten vorbei, der unter einem Schild (Rauchen verboten!) vor sich hindöste und Kautabak kaute. Er schielte auf meine Pfeife, hielt aber die Klappe, als ich nach Laumier fragte. Schob mir nur einen Abreißblock über den

Tisch, der ihm manchmal sicher als Kopfkissen diente. Ein fanatischer Anhänger des Stummfilms! Ich füllte den Zettel aus: Name des Besuchers und Grund seines Besuches. *Wegen Telefonanruf*, schrieb ich zu dem zweiten Punkt. Inzwischen hatte der Wächter einen Laufburschen herbeigeklingelt. Der lief mit dem Zettel in ein Gebäude mit der Aufschrift *Studio D*. Wenig später kam er mit einem anderen Zweibeiner wieder, der kaum älter war als er und betont schlampig gekleidet. Man sah ihm den Regieassistenten auf hundert Meter an.

„Monsieur Laumier bittet Sie, ihn noch für einen Moment zu entschuldigen. Wenn Sie in der Bar warten möchten..."

Ich folgte ihm in einen kühlen, sehr dunklen Flur. Einige Statisten lungerten untätig herum. Mein Führer stieß die Tür zur Bar auf. Außer drei Bühnenarbeitern, die an der Theke eine Partie 421 spielten, war der Raum leer. Eine leicht verblühte Bedienung lauschte dem Radio.

„Was darf ich Ihnen bestellen, Monsieur?" fragte mich der Assistent.

„Whisky."

„Zweimal. Mélie. Auf Monsier Laumiers Rechnung."

Komentarlos stellte die Frau die Getränke vor uns hin. Mein Nebenmann musterte mich neugierig. Die Würfel knallten auf die Theke. Der Gewinner ließ alle an seiner Freude teilhaben.

„Revanche?" schlug die Verliererseite vor.

„Nicht daß die uns im Studio vermissen", sagte einer mit Seitenblick auf den Assistenten. „Was meinst du, Charlie?"

„Könnt ruhig noch weitermachen", erlaubte Charlie. „Monsieur Laumier braucht Zeit."

„Glaub ich dir glatt", lachte einer der Würfelspieler. „Die braucht er. Bestimmt Zeitlupenaufnahmen."

„Uns soll's recht sein", bemerkte sein Kollege. „Schließlich werden wir nach Tagen bezahlt, oder? Je länger das dauert..."

„Der geht immer sparsam mit dem Filmmaterial um."

„Einmal mußten wir Pause machen, weil nicht genug Filmrollen vorrätig waren."

„Bestimmt nicht Monsieur Laumiers Schuld", widersprach der Assistent spitz. „In den letzten Tagen sind ganze Wagenladungen mit unbelichteten Filmen angekommen, völlig jungfräulich."

Die Bühnenarbeiter lachten laut auf.

„Jungfräulich? So was..."

„Passiert hier auch nicht oft, hm?"

„Doch, die kommen jungfräulich rein, und..."

So ging's 'ne Weile hin und her. Charlie hob resigniert die Schultern. Die Frau hinter der Theke ebenfalls, blickte zusätzlich noch gelangweilt zur Decke. Vorübergehend sah sie recht unschuldig aus. Diesen mehr oder weniger glaubwürdigen, aber jedenfalls äußerst fotogenen Ausdruck behielt sie bei, bis ein paar Statisten reinkamen. Die Bühnenarbeiter hatten inzwischen die nächste Partie begonnen. Einige Statisten folgten ihrem Beispiel, andere tranken nur schnell etwas. Einer hob den störenden Schnurrbart an und bemerkte, er habe den Eindruck, heute passiere nichts Großartiges mehr.

Nach einer Weile klingelte das Telefon hinter der Bedienung. Sie nahm den Hörer, versuchte trotz des allgemeinen Durcheinanders was zu verstehen, legte dann wieder auf und sagte zu Charlie:

„Monsieur Laumier. Für den Monsieur, der zu Monsieur Laumier wollte."

„Wenn Sie mir bitte folgen möchten", forderte mich der Assistent auf.

Wir überquerten wieder den Hof. Ein paar Statisten standen um einen dicken Schlitten herum. Charlie lotste mich durch ein Labyrinth von Gängen. Ständig kamen uns irgendwelche geschäftigen Leute entgegen. Schwer zu sagen, was sie zu tun hatten. Ich blieb meinem Zauberlehrling hart auf den Fersen. Wir überquerten zwei Aufnahmeflächen, die verstaubt und traurig im Halbdunkel lagen, auf dem Boden heimtückische Kabelschlangen. Dann stiegen wir eine Treppe hoch und gelangten endlich zum Garderoben-Büro des produzierenden Regisseurs. Charlie klopfte, steckte seinen Kopf ins

Zimmer, meldete mich an und verschwand. Ich wurde von einem Kerl in Empfang genommen, der gut einen Kopf größer war als ich: Jean, der Mann, der offensichtlich einen so großen Einfluß auf Laumier hatte. Fünfzig Prozent Diener, fünfzig Prozent irgendwas anderes. Diener vom Blick her, vom Lächeln – das er mir zu Ehren bis zur Herzlichkeit trieb. Irgendwas anderes – vielleicht Sekretär? – von der Kleidung her: gutgeschnitten, lässig getragen. Machte den Eindruck, als wär man immer in einer Filmvorführung. Üblich in einer Branche, bei der selbst die Kassiererinnen irgendeines Vorstadtkinos sich für Michèle Morgan hält.

Das Garderoben-Büro war gemütlich eingerichtet. Clubsessel, weiches Sofa, angrenzendes Badezimmer. Der Tisch in der Mitte des Zimmers war bedeckt mit Zeitungen, gebundenen Drehbüchern, einem Stapel Filmdosen. Ein Ventilator drehte sich, wirbelte Zigarrenasche aus einer Kristallschale hoch.

„Kommen Sie rein, Monsieur Burma", begrüßte mich der übergewichtige Produzent mit leicht unterkühlter Liebenswürdigkeit. Er lümmelte sich auf dem Sofa, stand jetzt aber auf, um mir eine schwitzige Hand zu reichen. Sein rankengemustertes Hemd stand über der behaarten Brust offen. Er schwitzte, rot im Gesicht.

„Darf ich Ihnen einen Aperitif anbieten, oder trinken Sie im Dienst nicht?"

„Ich bin nicht im Dienst", erwiderte ich. „Weiß nicht mal, was Sie darunter verstehen. Aber ich trinke gerne was."

„O.k.! Jean, bitte!"

Jean ging ins Badezimmer, in dem sich wohl ein Kühlschrank und eine Notsäule für durstige Menschen befanden. Kurz darauf tauchte er mit Gläsern wieder auf und stellte uns jedem ein eisgekühltes Getränk vor die Nase. Der Produzent saß inzwischen wieder auf dem Sofa. Ich hatte in einem Sessel Platz genommen. Laumier trank einen Schluck.

„Ich ... äh ...", begann er und sah zu seinem guten Geist rüber, der sich in einer Ecke des Zimmers zu schaffen machte,

„... äh ... ich möchte mich für neulich entschuldigen, für den Zwischenfall im Camera-Club. Ich war betrunken, aber ich erinnere mich daran, Ihnen einen Faustschlag versetzt zu haben ..."

„Ich hab ihn Ihnen zurückgegeben", sagte ich. „Damit sind wir quitt."

„Ganz und gar nicht! Ich lege Wert darauf, mich bei Ihnen zu entschuldigen ..."

„Außerdem, glaub ich, war der Faustschlag nicht für mich bestimmt, oder? Sie wollten doch diese Nervensäge treffen, den jungen Journalisten, nicht wahr?"

„Hm ... ja ... das stimmt schon. Trotzdem möchte ich mich bei Ihnen entschuldigen. Deswegen hab ich Sie am nächsten Tag sofort angerufen. Ich hatte Ihnen ausrichten lassen, daß Sie zurückrufen sollten ... aber Sie haben keine Verbindung mit mir aufgenommen ..." fügte er in vorwurfsvollem Ton hinzu.

Wofür hielt der sich eigentlich?

„Als ich es hörte, war es schon zu spät, um Sie anzurufen", erklärte ich. „Und dann hab ich's vergessen. Erst heute ist mir's wieder eingefallen. Eine Gedankenverbindung ..."

„Gedankenverbindung?"

„Ja. Durch einen anderen Produzenten mußte ich wieder an Sie denken. Ich komm soeben von Jean-Paul Montferrier, einem Freund von mir."

„Montferrier! Ah, ja, stimmt. Hab gehört, daß er wieder in Paris ist ... Aber zurück zu uns. Ich habe Ihr Schweigen als schlechtes Zeichen gewertet, Monsieur Burma." Er stand auf, um die Richtung des Ventilators zu ändern, murmelte: „Diese Hitze!", setzte sich wieder, wischte sich den Schweiß mit einem gelben Seidentuch aus den Falten seines Stiernackens.

„... Ja, als sehr schlechtes Zeichen. Hatte schon vorher einen Verdacht gehabt. Ihr Verhalten konnte mich nur bestärken. Hab daraus geschlossen, daß Sie mich nicht unbedingt wieder sehen wollten. Und das zog weitere Schlußfolgerungen nach sich. Beim Film nennen wir das eine ,Kette'. Na ja ...

jetzt sind Sie hier. Wir können offen miteinander reden."

„Sie hatten einen Verdacht?"

„Ich mag Privatdetektive nicht besonders, Monsieur", gab er unumwunden zu. „Besser gesagt, ich verabscheue sie."

„Das ist keine Antwort auf meine Frage."

In seinen Wurstfingern hielt er immer noch das gelbe Tuch, fuchtelte jetzt vor dem Stierkopf meiner Pfeife herum. Zum Glück war das Tuch nicht rot.

„Moment... Es gibt keinen Privatdetektiv, den Rolande mir nicht auf den Hals geschickt hätte. Deshalb... als Sie neulich abends vor mir standen, hab ich rot gesehen. Ich weiß, Sie waren der Leibwächter von Grace Standford. Grace Standford ist wieder in Hollywood. Also sind Sie frei. Trotzdem treiben Sie sich immer noch in der Gegend rum. Ich will ganz offen mit Ihnen sein: nicht den jungen Journalisten wollte ich treffen. Wenn man alle unverschämten Journalisten verhauen wollte, hätte man viel zu tun. Nein, ich wollte Sie treffen, Sie! Ich war blau, hab mir was eingeredet. Also, ich entschuldige mich nochmal dafür..."

„Was eingeredet?"

„Dummes Zeug."

„Verstehe. Wegen dieser Rolande, hm?"

„Genau."

„Wer ist das?"

„Meine Frau. Madame Laumier. Vor kurzem haben wir uns geeinigt. Es war ausgemacht, daß sie mich von nun an in Ruhe läßt..."

„Wenn es Sie beruhigt: Ich arbeite nicht für Ihre Frau."

„Hm", brummte er. „Hm..." Er sah mich mißtrauisch von der Seite an. „... Na schön... Rolande wird außerdem kein Glück haben. Ich weiß, wie ich mich zu verhalten habe: vorsichtig, ganz vorsichtig."

„Von mir aus", sagte ich lächelnd. „Aber was geht mich das an?"

„Schön, reden wir nicht mehr davon", schlug er erleichtert vor. „Trinken wir noch ein Gläschen, wenn es Ihnen recht ist..."

71

Es war mir recht. Jean ging wieder ins Badezimmer, um uns eine Erfrischung zu bringen. Hinter dem Vorhang genehmigte er sich auch einen. Als ich mein Glas geleert hatte, brachte ich das Gespräch auf den Tod von Lucie Ponceau. Laumier konnte mir nichts Neues erzählen. Fand das alles nur furchtbar traurig. Da mußte ich ihm zustimmen. Wir wurden vom Telefon unterbrochen. Laumier nahm den Hörer ab.

„Ja ... ja ... oh, Scheiße! ... Gut ..." Er legte wieder auf. „In diesem Beruf ist man vor Hornochsen nie sicher", stellte er fest. Er selbst schwitzte immer noch wie einer, rot im Gesicht.

Ohne Übergang kam er wieder auf Lucie Ponceau zurück. Ja, sehr traurig. Eine Schauspielerin, die wieder mal ihr Talent bewiesen hab ... Ich nutzte eine Atempause des Produzenten, um von Montferrier und seinem Besuch Denise Falaise zu sprechen.

„Wußte ich gar nicht", seufzte Laumier. Er sah auf seine Uhr. Uhr und Telefon sind die Korsettstangen der Filmschaffenden. „ ... Sie sollte nicht vergessen ..." Erneuter Seufzer. „Wie ich schon sagte: beim Film gibt's jede Menge Hornochsen ... undankbare Hornochsen. Wer hat denn Denise aufgebaut? Ich! Und jetzt will sie sich offensichtlich eine Rolle bei Montferrier angeln. Meine Filme reichen ihr nicht mehr. Sind ihr nicht mehr gut genug! Ach, verdammt! Aber ich kann auch so Filme machen wie Montferrier, wenn ich will ..."

Er stieß noch einen Seufzer aus. Dann überkam ihn so was wie 'ne Hitzewelle. Unter dem gelben Tuch verzog er beinahe schmerzhaft das Gesicht. Sah aus wie das Baby bei der Wurmmittelreklame, das gerade anfangen will zu heulen.

„Na ja, ich bin ihr nicht böse ... Sie ist ihr eigener Herr ... wenn sie ihren Vertrag einhält ... und wenn nicht, muß sie eine Konventionalstrafe zahlen ... Nein, ich bin ihr nicht böse ... Seit ihrer nervösen Depression ist sie manchmal ..."

„Sie hatte eine nervöse Depression?"

„Ja. Das bleibt aber unter uns, hm? Ach ja, nicht immer lustig, das Leben eines Künstlers ... Aus verschiedenen Gründen wurde das Ganze damals nicht an die große Glocke gehängt. Sie sehen, ich habe Vertrauen zu Ihnen", lachte Laumier.

„Können Sie auch haben", sagte ich. „Madame Laumier zählt nicht zu meinen Klienten."

Er hob die Schultern, als wollte er einen normannischen Kleiderschrank aufstellen. Dann leerte er sein Glas, ohne wieder auf seinen treulosen Star zurückzukommen. Schweißgebadet forderte er mich auf, ihn ins Studio zu begleiten. Die folgende Einstellung müsse mich von Berufs wegen unbedingt interessieren! Ich nahm seinen Vorschlag an in der stillen Hoffnung, Denise Falaise wiederzutreffen.

Na ja, viel gab's nicht grade zu sehen. Ich muß sagen, die Bühnenarbeiter hatten recht. Laumier war als Regisseur ziemlich lahm. Pedantisch, konfus, mußte vor jeder Entscheidung stundenlang nachdenken. Endlich erklärte er zur allgemeinen Zufriedenheit, das sei alles für heute. Man hatte das „Flutlicht" eingeschaltet, ausgeschaltet, wieder eingeschaltet, Möbel verrückt, Kulissen verändert, unzählige Male wiederholen lassen... aber keinen Zentimeter Zelluloid belichtet. Und Denise Falaise hatte ihren Förderer versetzt. Natürlich, Montferriers Gesellschaft war ja auch amüsanter. Laumier hatte mir also sozusagen meine Zeit gestohlen, aber die Einsicht vermittelt, daß sich das Kino seit der Zeit, als ich noch dabeiwar, nicht verändert hatte.

Ich stieg wieder in meinen Wagen und fuhr zum Cosmopolitan. Genau vor dem Hoteleingang gab es einen nagelneuen Zeitungskiosk, nur Chrom und Glas. Ich parkte meine Kiste auf dem Bürgersteig und ging an dem Kiosk vorbei. Ein bekanntes Gesicht lächelte mir von der Titelseite des *Hollywood-Magazine* zu. Die Zeitschrift hieß so, weil dort selten von Hollywood die Rede war. Heute jedenfalls lächelte Monique, meine nächtliche Besucherin von neulich, ihr hübsches Lächeln. Das traf sich gut. Ich kaufte das Magazin. Sechs Seiten konnte ich das reizende Mädchen anstieren. Von vorne, von hinten, von der Seite, alleine oder zusammen mit einer Freundin, beim Eierkochen oder beim Bücherlesen. Und immer war sie (und ihre Freundin) nur mit dem Allernotwendigsten bekleidet: Küchenschürze, durchsichtig, mit Spitzen, Slip, hochhackige Schuhe und Strümpfe.

Ich suchte nach der Anschrift des Magazins, um mir die von Monique zu verschaffen. Dabei fiel mein Blick auf den Text unter ihrem Luxuskörper. Es wurde immer besser. Der Verfasser hieß Jules Rabas. Von Rabas bis Rabastens war's nicht weit. Der Weg zu Monique führte also über den aufdringlichen Journalisten, zumal er gut auf mich zu sprechen war. Auf seiner Visitenkarte, die er mir im Camera-Club gegeben hatte, stand nur seine Privatadresse: 216, Faubourg Saint-Honoré, also hier gleich um die Ecke. Sollte ich ihn nicht persönlich zu Hause antreffen, konnte ich zumindest versuchen, seine Concierge auszuhorchen.

Das schon etwas ältere Gebäude befand sich in der Nähe des ehemaligen Beaujon-Hospitals, das inzwischen in ein Trainingszentrum für Ordnungshüter verwandelt worden ist. Fast genau gegenüber des Hôtel Rothschild, Ecke Rue Berryer. Während der jährlichen Buchmesse für schreibende Ehemalige Kriegsteilnehmer hatte 1932 ein Mann namens Gorguloff hier Paul Doumer, den Präsidenten der Republik, aufs Korn genommen.

Ich hatte einige Mühe, den Hauseingang zu finden: ein schmaler Durchgang zwischen einem Antiquitätengeschäft und einem Restaurant. Dort, wo der Gang zu einem länglichen Hof wurde, saß die Concierge in ihrer Loge, als müßte sie eine Strafe verbüßen.

Monsieur Jules Rabastens? Ja, er wohne hier. Ob er zu Hause sei? Ja, sei er.

* * *

Ja, zu Hause war er. Als ich ihn sah, mußte ich an einen Satz des jungen Mannes denken: „... Sollten Sie zufällig über eine Leiche stolpern, sagen Sie mir Bescheid ..." Na ja, die erhoffte Leiche konnte ich dem fröhlichen Rotschopf liefern. Nur würde er nichts darüber schreiben können. Soll ja Journalisten geben, die ihren beruflichen Ehrgeiz ziemlich weit treiben. Aber so tüchtig, daß sie über ihren eigenen Tod berichten...? Ich kenne jedenfalls keinen.

8.

Der Elefant im Porzellanladen

Eine riesengroße Überraschung war das nicht für mich. Der verlegene Gesichtsausdruck der Concierge hatte mich ein krummes Ding wittern lassen. Und als mir im Treppenhaus einer von Faroux' Männern entgegengekommen war und dann ein paar Stufen weiter der Kommissar persönlich...

„Das Achte", sagte er, „war früher mal ein sehr ruhiges Arrondissement. Aber seitdem Sie beschlossen haben, hier zu wohnen... Frag mich so langsam, ob die Dame, deren Leibwächter Sie waren, tatsächlich aus Paris abgereist ist. Wenn man gründlich sucht, findet man wahrscheinlich irgendwo in einer Ecke ihre Leiche."

„Reden Sie keinen Quatsch."

„Ich rede keinen Quatsch. Aber der größte Quatsch ist es, Sie irgendwas zu fragen. Ich wollte nämlich gerade zu Ihnen. Aber Sie sind mal wieder hier... Also: Sie waren ein Freund von Rabastens? Das hier haben wir bei ihm gefunden..."

Und er hatte mir das Foto hingehalten, das Fred Freddy vom *Radar* im Camera-Club geschossen hatte.

„Marc Covet, Sie und Rabastens, stimmt's?"

„Stimmt."

„Sie gehörten also zu seinen Freunden?"

„Hab ihn zwei- oder dreimal gesehen."

„Und wollten ihn besuchen?"

„Ja."

„Warum?"

„Er sollte mich mit einem Pin-up-Girl bekanntmachen. Pin-up-Girls sind ein Hobby von mir. Liegt wohl am Alter..."

„Großer Gott! Haben Sie nichts andres im Kopf...? Also, Sie haben ihn nur zwei- oder dreimal gesehen?"

„Ja..."

Ich hatte ihm davon erzählt.

„Wollen Sie ihn zum vierten Mal sehen?"

Und er hatte mir auf eigenen Wunsch die Leiche gezeigt.

* * *

Die Wohnung von Jules Rabastens bestand aus einer Küche und zwei kleinen Zimmern. Die Küche und das hintere Zimmer gingen auf den Hof des ehemaligen Hospitals. Von hier aus sah man hinter einer Glaswand die Turn- und Gymnastikgeräte der Flics.

In diesem hinteren Zimmer, das als Büro und Bibliothek diente, lag die Leiche des Journalisten neben einem Tisch, der vollgepackt war mit einem Stoß Papier, einer *Underwood* und Schreibgerät. Das mußte aber nicht heißen, daß Rabastens gerade eine Nachricht hinterlassen wollte, als ihn der Tod überrascht hatte. Bei einem, der berufsmäßig schreibt, liegt immer Papier auf dem Tisch. Rabastens. Julot für die Damen. Höchstens fünfundzwanzig Jahre, Stillzeit eingeschlossen. Rasender Reporter, der von Star zu Starlet flatterte. Ein Schädel, in dem so einige Lobeshymnen entstanden waren. Ein Schädel, in dem in Zukunft nichts mehr entstehen würde. Ein fachmännisch zertrümmerter Schädel.

„Das hat er sich nicht beim Nachdenken geholt. Auch nicht, indem er gegen die Tür gerannt ist", bemerkte Faroux. „Jemand hat ihn niedergeschlagen. Vielleicht um ihn auszurauben, vielleicht auch nicht. Sieht aber trotzdem nicht so aus, als wär man ihm an den Sparstrumpf gegangen..." Er zeigte auf ein Kästchen, das einer von seinen Schnüfflern auf den Tisch gestellt hatte. „Wir haben keine weiteren Spuren sichern können. Wenn seine Verletzung weniger tief wär, würde ich sagen, er ist auf der Straße überfallen und ausgeraubt worden, hat sich dann hierher geschleppt, um heimlich, still und leise zu krepieren. Hab neulich von so einem Fall gehört. Jemand wird niedergeschlagen, steht auf, geht nach Hause, ohne zu merken, daß er einen sauberen Schädelbruch hat. Und dann hat der Kerl nichts Besseres zu tun, als sich auf der nächsten Polizeiwache zu beschweren. Als er seinen Fall auseinanderlegt, fällt er mausetot um. Aber die Verletzung von Rabastens ist zu schwer. Er muß auf der Stelle tot gewesen sein.“

„Wann?“

„Werden wir nach der Autopsie wissen.“

„Vielleicht hatte er ja auch einen verdammt harten Schädel, und trotz der furchtbaren Schläge…“

„Nein. Sonst hätte er als erstes einen Flic alarmiert und wär nicht auf die Idee gekommen, sich hier zu verarzten. (Möchte auch wissen, womit!) Das hat der Kerl neulich gemacht, und ich würd's genauso machen.“

„Ja, wahrscheinlich. Man wird es ihm also hier besorgt haben. Für Sie doch wohl ein Kinderspiel! Möchte wissen, warum Sie so ein langes Gesicht machen. Die Concierge kann Ihnen sofort sagen, wer ihn besucht hat.“

„Ja, Scheiße!“ seufzte Faroux. „Hier geht's zu wie in 'nem Taubenschlag. Hinten im Hof ist eine Druckerei. Außerdem wohnt eine Klavierlehrerin im Haus. Geht also so einiges an der Concierge vorbei, im Laufe des Tages! Und keiner hat gefragt, wo Rabastens wohnte.“

„Also ein Bekannter von ihm.“

„Selbst da bin ich nicht so sicher. Haben Sie im Gang vor der Conciergeloge die Briefkästen gesehen? Auf dem von Rabastens steht die Etage. Und an der Wohnungstür hängt seine Visitenkarte. Konnte also jeder finden, ohne nach dem Weg zu fragen. A propos Bekannte…“

Er forderte mich auf, ihm alles zu erzählen, was ich von dem rothaarigen Journalisten wußte. Das war aber leider herzlich wenig. Dafür kannte ich Rabastens wirklich nicht gut genug. Dann erklärte mir der Kommissar, wie die Tragödie entdeckt worden war. Die Flics hatten auf dem Hof rumgeturnt, und einer von ihnen hatte oben auf seiner Kletterstange gesessen wie ein Affe und in das Fenster sehen können. In diesem Augenblick hatte Rabastens nicht dort gelegen, wo ich ihn jetzt sah, fertig zum Abtransport in die Morgue. Seine Stellung war nicht so feierlich gewesen. Er hatte gesessen, den Oberkörper über dem Tisch. Der Flic hatte natürlich sofort seine Kollegen alarmiert, und kurz darauf war Florimond Faroux an Ort und Stelle gewesen.

„Es fällt schwer, keine Zusammenhänge zu sehen", sagte Faroux und sah mich schräg von der Seite an. „Hab angefangen, mich dafür zu interessieren, als ich hörte, daß der Journalist hauptsächlich über Filme schrieb. Verstehen Sie? Rabastens... Lucie Ponceau..." Er nahm die Finger zur Hilfe. „Beide wohnen am Parc de Monceau... Gestern die eine, heute der andere... Verstehen Sie, hm? Dann drängten sich mir noch weitere Zusammenhänge auf... Hier, dieses Foto..." Wieder das Spiel mit den Fingern. „... Rabastens, Covet, Burma. Die drei kennen sich. Rabastens schrieb über Film, Covet manchmal, Burma hat neuerdings auch was damit zu tun. Covet und Burma haben die sterbende Lucie Ponceau gefunden. Rabastens ist gerade ermordet worden."

„Glauben Sie, es gibt einen Zusammenhang zwischen den beiden Toten?"

„Keine Ahnung. Vielleicht nur Zufall. Trotzdem ist das ziemlich merkwürdig."

„Übrigens... wie weit sind Sie mit Lucie Ponceau?"

„Verdammt! Dürfen wir vielleicht mal Luft holen? Wir sind noch keine vierundzwanzig Stunden dabei. Bis jetzt besteht kein Zweifel, daß es Selbstmord war. Und wenn Sie mich fragen: es werden auch keine aufkommen. Aber durch den Kerl da erscheint alles im andern Licht... als Randerscheinung sozusagen."

„Wieso Randerscheinung?"

„Man hat schon Pferde kotzen sehen."

Mit der Bemerkung konnte ich nun gar nichts anfangen.

„Kapier ich nicht."

„Ich frag mich, ob Lucie Ponceau vielleicht mit Rauschgift

gehandelt hat. Wie gesagt, man hat schon Pferde kotzen sehen. In letzter Zeit haben sich die Dealer mit viel Phantasie getarnt. Zweifellos ist die Kriminalität auf diesem Gebiet zurückgegangen. Vor rund einem Jahr ist der Chef des Drogenhandels geschnappt worden. Danach ging's Schlag auf Schlag. Der Handel ist deutlich gebremst worden. Warum soll sich das Geschäft nicht wieder erholt haben, mit neuen Leuten? Vielleicht hat der Selbstmord von Lucie Ponceau bestimmte Pläne durchkreuzt oder könnte sie durchkreuzen. Und wenn unser Rabastens Wind von der Sache gekriegt hat… Was halten Sie davon, Burma?"

„Ich glaube, Sie reden über das Falsche, um das Richtige rauszukriegen. Bedaure, Faroux. Ich weiß nichts, was Ihnen weiterhelfen könnte. Aber bohren Sie nur weiter in dieser Richtung. Vielleicht ist es ja die richtige."

Er brummte irgendwas. Wir wechselten noch ein paar Worte, dann schickte er mich zum Teufel. Ich mußte unbedingt was trinken. Also klapperte ich alle Bistros des Faubourg Saint-Honoré ab, bis zur Avenue Hoche. Als ich an der Buchhandlung Denise Verte vorbeikam, mußte ich sofort an die andere Denise denken, an den blonden Filmstar. Ich trank noch einen letzten Aperitif und fuhr dann ins Cosmopolitan zurück.

Die Sonne ging unter. Ich hatte getrunken, um das Bild von Rabastens' Leiche zu verdrängen, seinen zermatschten Schädel, seinen schmächtigen Körper auf dem Läufer. Bei dem Anblick der blutroten Sonne im Westen mußte ich an seinen Rotschopf denken.

Ich fühlte mich nicht besonders schmutzig, hatte aber das Gefühl, daß mir ein Bad guttun würde. Mir war so, als hätte mein Körper Leichengeruch an sich. Ich nahm also ein Bad.

Kaum war ich fertig, als Marc Covet in meine Wohnung gestürmt kam. Schien sehr aufgeregt.

„Heute abend kein Kino für mich", sagte ich sofort. „Falls wieder irgendwo eine Weltpremiere oder so was stattfinden sollte."

„Kein Kino heute abend?" lachte Covet. „Sie sind gut! Wissen Sie, weshalb ich gekommen bin? Hab was für Sie, das Allerneueste aus dem *Crépu*, noch nicht gedruckt!"

„Wenn Sie vom Mord an Rabastens reden: ich weiß schon Bescheid."

„Kaum zu glauben! Immer dabei, hm?"

„Ja. Komm grad aus dem Totenhaus."

„Also wirklich..."

Er ließ sich in einen Sessel fallen und wischte sich den Schweiß ab.

„Erzählen Sie doch mal! Großer Gott! Rabastens! Wollte mich immer in die Tasche stecken. Jetzt wird er überhaupt keinen mehr in die Tasche stecken. Aber er war kein schlechter Kerl. Immerhin auch schon was."

Während ich mich anzog, erzählte ich ihm das wenige, das ich wußte.

„Und wer war's?" wollte Covet wissen. Ohne die Antwort abzuwarten, schnippte er mit den Fingern. „Doch nicht zufällig Laumier? Erinnern Sie sich an den Streit im Camera-Club..."

Ich mußte ihn enttäuschen:

„Den hab ich heute nachmittag noch gesehen. Hat mir selbst erklärt, sein Leben reiche nicht aus – oder so ähnlich –, alle unverschämten Journalisten zu verhauen. Ich füge hinzu: Und umzubringen. Außerdem war der Kinnhaken nicht für Rabastens bestimmt, sondern für mich." Ich erklärte ihm schnell den Grund. „Faroux glaubt an einen Zusammenhang zwischen dem Tod von Lucie Ponceau und dem Mord an Rabastens. Und ich möchte fast seine Meinung teilen."

„Klar!" rief Covet. „Hätte früher dran denken müssen! Hab ich Ihnen nicht erzählt, daß ich ihn gestern getroffen habe? Ich war doch auf der Jagd nach Informationen über Lucie Ponceau. Und da hab ich ihn getroffen. So von oben herab meinte er: ‚Ich steck dich in die Tasche, Alter!' Hab gehört, daß er einen Tip gekriegt hatte. Er wollte die Sache bestimmt überprüfen oder weiter verfolgen oder wurde selbst

mit hineingezogen, und da hat man ihm den Schädel eingeschlagen. Wann ist er umgebracht worden?"

„Das ist noch nicht raus."

„Und Lucie Ponceau? War das dann auch Mord?"

„Selbstmord. Aber ich bin überzeugt, da ist etwas nachge-
holfen worden. Jemand hat eine ihrer Depressionen ausge-
nutzt, um sie loszuwerden. Wer? Warum? Großes Geheimnis.
Das scheint Faroux noch gar nicht interessiert zu haben. Er
fragt sich im Moment, ob Lucie Ponceau mit Rauschgifthändlern zu tun hatte... oder ob sie nicht selbst kriminell war.
Während Faroux in dieser Richtung nachforscht, werd ich in
der anderen suchen. Mal sehen, wer zuerst am Ziel ist. Was ich
im Moment erst mal brauche, ist ein verdorbenes Pin-up-
Girl. Kennen Sie keins?"

„Ein Pin-up-Girl? Um Sie über die Todesfälle hinwegzutrö-
sten?"

„Nein. Nicht für den persönlichen Gebrauch."

„Ein hübscher Beruf! Und eine hübsche Moral! Hat das
was damit zu tun?" fragte er, wieder ernst.

„Eine Idee, die mir bei Montferrier gekommen ist."

„Montferrier? Ach ja, stimmt! Waren Sie inzwischen bei
ihm? Ist er in die Sache verwickelt?"

„Weiß ich nicht..."

Ich erzählte dem Journalisten von der Unterhaltung mit
dem Produzenten und mit Tony Charente.

„Seltsamer Auftrag, den Sie da angenommen haben", stellte
er fest. „Wie wollen Sie das anstellen?"

„Das ist nicht so sehr das Problem. Wichtiger ist, was ich da
rausholen kann... für den Fall Ponceau, meine ich. Ich will
den Verbrecher finden – das ist das richtige Wort dafür –,
der der Schauspielerin den Stoff für die große Reise besorgt
hat. Das hätte ich sowieso gemacht. Montferrier erleichtert
mir mein Vorhaben. Mit seinem Auftrag und seinem Personal."

„Seinem Personal? Versteh ich nicht."

„Ich werde Tony Charente mit Schmus besoffen machen,

ihm so lange mit dem Zeug auf den Wecker gehen, bis er wieder rückfällig wird."

„Also genau das, was Montferrier befürchtet?"

„Genau das. Diese Drogensüchtigen sind eine verschworene Gemeinschaft, wie Freimaurer. Der Schauspieler kennt bestimmt eine oder zwei gute Adressen, die die Polizei noch nicht kennt. Und genau die interessieren mich. Charente soll mich hinführen... mich oder die, die ich als Kindermädchen bei ihm einschmuggeln werde. Hab ich erst mal einen Fuß in der Tür, kümmere ich mich schon um den Rest."

„Also, wirklich, Alter, verdammter Nestor!" rief Covet und lachte laut auf. „Wenn ich jemals heirate und den Verdacht habe, meine Frau betrügt mich, dann kriegen Sie bestimmt nicht den Auftrag, das zu überprüfen. Sie bringen es fertig und schlafen mit ihr, nur um meinen Verdacht zu bestätigen."

„Nun regen Sie sich mal nicht so künstlich auf. Vielleicht muß der Plan noch leicht abgeändert werden. Kommt drauf an. Vielleicht ergeben sich neue Perspektiven. Eine gibt es schon. Wußten Sie, daß dieser Tony Charente irgendwann mal der Geliebte von Lucie Ponceau gewesen ist?"

„Hör ich zum ersten Mal. Hat er's Ihnen erzählt?"

„Nein, eben nicht. Das ist ja das Merkwürdige. Sein Foto war in dem Album, das Lucie Ponceau extra für ihre Liebhaber angelegt hatte. Und die Widmung war sehr konkret. Indiskret, könnte man sagen. Deswegen erscheint mir seine Diskretion jetzt wenig plausibel."

„Vielleicht ist er nicht so redselig."

„Nicht redselig? Man könnte meinen, der Tonfilm wär einzig und allein für ihn erfunden worden. Na ja, darüber können wir uns immer noch den Kopf zerbrechen. Der arme Rabastens reicht erst mal..." Ich gab Marc Covet das *Hollywood-Magazine* „... Hatte gehofft, er würde mich mit dem Mädchen da bekannt machen."

„Die ist aber niedlich", bemerkte mein Freund. „Alles drum und dran. Sie haben Geschmack..."

„Sie heißt Monique. Hab sie flüchtig kennengelernt, weiß aber nicht, wo ich sie treffen kann."

„Ich hab Freunde beim *Hollywood-Magazine*. Die wissen, in welchem Studio die Mädchen fotografiert werden. Soll ich mich erkundigen?"

„Wär nett."

Er sah auf die Uhr.

„Schon ziemlich spät. Aber vielleicht haben wir mit zwei oder drei Telefonnummern noch Glück."

„Dann lassen Sie uns essen gehen", schlug ich vor. „Ich lade Sie ein. Zwischen zwei Gängen können Sie ja unser Glück versuchen."

Nach einer kurzen Denkpause sagte Covet:

„Würd's Ihnen was ausmachen, ins Berkeley zu gehen? Dort treffen wir vielleicht jemand Interessantes."

„Wen denn?"

„Äh... hm... Könnte Faroux' Verdacht richtig sein, daß Lucie Ponceau Verbindungen zu Dealern hatte? Oder selbst einer war?"

„Keinen blassen Schimmer. Aber ich finde diesen Verdacht immerhin etwas stark. Faroux meint, die Bande könnte möglicherweise einen neuen Chef haben. Nun ja, was Faroux sagt... und vor allem, was er nicht sagt..."

„Eben. Und jetzt hören Sie zu, Burma. Wissen sie, wer Sophie Carlin und Venturi sind?"

„Sophie Carlin ist die Klatschtante eures Käseblättchens. Aber Venturi... keine Ahnung."

„Ein internationaler Verbrecher. Handelt mit Waffen, Drogen, Frauen, Zigaretten, mit allem, was Sie wollen. Ein Stavisky auf allen Gebieten. Hat sich in letzter Zeit von den Geschäften zurückgezogen, heißt es. Persönlich kenn ich ihn nicht. Ich erzähl nur, was ich gehört habe. Meine Kollegen beim *Crépu*, die sich für Sophie in der Gerüchteküche von ganz Paris rumtreiben, erfahren manchmal die tollsten Sachen. Dringt nie an die Öffentlichkeit. Von Moissac, einem von Sophies Leuten, hab ich zum Beispiel, daß dieser Venturi seit kurzem auf den Champs-Elysées rumgeistert, unter falschem Namen natürlich, Kost im Berkeley, Logis im Charleston. Die Polizei weiß das bestimmt. Hoffe ich jedenfalls. Will sich anscheinend nicht um ihn kümmern. Aber vielleicht besteht ja ein Zusammenhang zwischen seiner Anwesenheit und dem Theater hier in der Gegend."

„Mein lieber Covet", seufzte ich, „wenn man in jedem Hotel dieses Viertels alle Gäste überprüft, findet man ganz sicher zwei oder drei dieser Venturis. Ich werde mich nicht von meinem Plan abbringen lassen, um diesem Salonganoven hinterherzurennen, den außerdem noch die Flics im Auge haben. Trotzdem vielen Dank für den Tip, und auf ins Berkeley. Man kann nie wissen."

* * *

Im Berkeley war natürlich kein Venturi zu sehen. Dafür konnte Marc Covet aber aus sicherer Quelle rauskriegen, wo diese Monique und ihre Freundin zu finden waren. Nach seinem vierten Ausflug in die Telefonkabine servierte er mir als Nachtisch:

„Monique Grangeon heißt sie. Die ihr beim Kochen hilft, Seite 6, das ist Micheline. Sie posieren fast immer zusammen. Ihre Adressen hab ich leider nicht. Aber sie sollen sich ständig im Eléphant rumtreiben, einem *dancing* unter den Arkaden des Lido. Vielleicht gehen wir mal hin, das Tanzbein schwingen."

„Damit der Tanz richtig losgeht", sagte ich.

* * *

Wir ließen meinen Dugat in der Nähe des Berkeley stehen und gingen zu Fuß zu diesem *dancing*. Es lag im Kellergeschoß, mit einem Eingang unter den Arkaden und einem Ausgang zur Rue de Ponthieu. Ein Neon-Elefant machte von weitem auf das Lokal aufmerksam. Drinnen war es gemütlich, ohne übermäßigen Luxus, geschmackvoll. Die Mädchen, die dort rumliefen, schienen Modezeitschriften entsprungen zu sein. Einige Männer waren auch sehr schick angezogen, anderen sah man den Verkäufer im Sonntagsstaat meilenweit an. Wir gingen schnurstracks zur Bar. Eine gute alte Gewohnheit. Covet erspähte sofort einen seiner unzähligen Bekannten. Er rief und winkte ihn zu uns ran.

„Marceau, ein Kollege", begann Covet mit der Vorstellung. „Er kennt Monique. Der da", fuhr er fort und zeigte auf mich, „ist Nestor Burma. Würde gerne Monique kennenlernen."

„Monique ist nicht da", sagte Covets Kollege. „Dafür aber die andere Hälfte des Tandems, Micheline. Tanzt gerade mit einem ziemlich widerlichen Kerl. Hat bestimmt nichts dagegen, ihn loszuwerden. Sagen Sie ihr nur, sie seien vom Film. Darauf sind sie alle ganz scharf."

„So ungefähr stimmt das ja auch", erwiderte ich grinsend. Marceau trank noch ein Gläschen auf unsere Kosten, ließ einen bedauernden Satz über den armen Rabastens fallen und verzog sich dann. Das Tanzorchester hatte soeben den letzten Ton eines rhythmischen Mambos gespielt. Marceau kam mit einem jungen Mädchen wieder. Roch wie ein Parfümladen. Das Mädchen, meine ich. Ihre Haare waren etwas zerwühlt. Stand ihr aber nicht schlecht. Unter der braunen Mähne sahen schöne nußbraune Augen in die Welt. Sie schien weniger unverschämt als Monique. Jedenfalls musterte sie mich nicht so herausfordernd. Für das Spielchen, das ich vorhatte, wäre mir Monique eigentlich lieber gewesen. Nachdem wir uns einander vorgestellt hatten, spendierte ich ihr ein Gläschen. Marc Covet und sein Kollege verschwanden unauffällig und diskret im Tanzsaal, wo das Orchester wieder loslegte.

Als ich grade den Mund aufmachen wollte, um ein Gespräch anzufangen, stand ein Kerl neben uns.

„Tanzen Sie mit mir, Mademoiselle?" fragte er, ohne mich zu beachten.

Er hatte den Akzent der Canebière, leicht Faubourg Saint-Denis. Sein Anzug war gutgeschnitten und korrekt. Dagegen stach die aggressive Krawatte ab. Überhaupt wirkte vieles an Michelines Tanzpartner von vorhin aggressiv. Marceau hatte sich nicht getäuscht: ein widerlicher Kerl. Das junge Mädchen ließ in abblitzen. Er ließ nicht locker.

„Geben Sie auf", mischte ich mich ein. „Sie sehen doch, daß Sie Mademoiselle lästig fallen."

„Ganz genau, Alter. Wann du willst. Und jetzt sieh mal nach, ob ich draußen steh, vor der Tür."

Er brummte etwas, suchte aber das Weite. Der Barkeeper sah ihm erleichtert hinterher.

„Kennen Sie den Wichtigtuer?" fragte ich.

„Nein", antwortete der Mann hinter der Theke, „aber dem würd ich meine Kasse nicht anvertrauen."

Ich wandte mich an Micheline:

„Wissen Sie, wer das ist?"

„Einer von denen, die jede Frau anquatschen", sagte sie und hob gleichgültig ihre schönen nackten Schultern. „Neulich hat er's bei Monique versucht. Aber die will höher hinaus. Ich hätte nicht mit ihm tanzen sollen. So aufdringlich, wie der ist... Meint, weil wir uns frei benehmen und reden und weil wir uns nackt fotografieren lassen..."

„Verstehe..." Ich mußte mir die Frage stellen, ob ich nicht auch zu „denen" gehörte. „... Aber jetzt sind Sie ihn ja los. Glaub nicht, daß er Ihnen noch weiter auf den Wecker fällt. Hab ihm genug Stoff zum Nachdenken gegeben."

„Vielen Dank, M'sieur."

„Keine Ursache. Aber jetzt zu uns. Marceau hat Ihnen gesagt, warum ich Sie kennenlernen wollte, nicht wahr? Ich suche Monique."

„Ja, hat er mir gesagt. Worum geht's?"

„Ich hab einen Vertrag für Monique. Etwas pikant, aber ich glaub, sie wird annehmen. Hab sie nur einmal getroffen. Das reichte, um mir ein Bild zu machen. Sie lag in meinem Bett..."

„...und wahrscheinlich sollen Sie Monique jetzt ins Bett eines anderen locken", sagte Micheline. „Wir wohnen im selben Hotel. Hab sie seit gestern mittag nicht gesehen. Sie hat woanders geschlafen. Vielleicht macht sie's so wie beim Festival. Hat sich abschleppen lassen und ist völlig fertig wiedergekommen. Glaub aber nicht, daß sie seitdem klüger geworden ist... Und was ist das für ein Vertrag? Für einen Film?"

„Hat damit zu tun. Hören Sie, Micheline. Sie sind mir sympathisch. Zu sympathisch. Deswegen schlage ich diesen Kuhhandel nicht Ihnen vor, sondern Monique. Sie verdienen sich auf dieselbe Weise ihr Geld, haben auch bestimmt dasselbe Ziel. Aber trotzdem sind Sie beide sehr verschieden. Dieser Vertrag hier ist nichts für Sie, Micheline. Aber wenn Sie Monique wiedersehen, bestellen Sie ihr, sie soll sich mit mir in Verbindung setzen. Ich wohne im Cosmopolitan. Sie sehen, ich hab Vertrauen zu Ihnen. Marceau hat Ihnen sicher erzählt, ich sei vom Film. Das stimmt nicht so ganz. Hier, das bin ich..."

Ich kramte meinen Detektivausweis hervor.

„Oh! Na, so was!" rief sie. „Detektiv Nestor Burma, den Namen hab ich in der Zeitung gelesen. In den Berichten über Lucie Ponceau. Aber was..."

„Das, meine liebe Micheline, sind Detektivgeschichten. Wie im Film."

„Lassen Sie mich mal ausreden?... Was soll ich also Monique sagen?"

„Daß ich mein ungalantes Verhalten neulich ihr gegenüber wiedergutmachen will, indem ich sie einem Leinwandstar vorstelle: Tony Charente. Natürlich ist das einigermaßen gefährlich. Sie wissen, was ich meine?"

Als Micheline den Namen hörte, leuchteten ihre Augen auf.

„Natürlich", sagte sie.

„Aber ich nehme an, Monique hat keine Angst vor dieser Gefahr?"

„Bestimmt nicht."

„Schön. Also, richten Sie ihr das bitte aus. Und jetzt geh ich nach Hause."

„Das werd ich auch tun", sagte Micheline und gähnte. „Sind Sie mit dem Wagen?"

„Ja. Hab' ihn vor dem Berkeley stehengelassen."

„Könnten Sie mich vielleicht nach Hause fahren? Ich wohne im Hôtel Dieppois, Rue d'Amsterdam. Zu Fuß etwas weit. Und sollte Monique schon zurück sein..."

„Gut, einverstanden."

Ich zahlte. Marc Covet und sein Kollege schwangen bestimmt ihr fröhliches Tanzbein. Wir kümmerten uns nicht um sie und gingen an die frische Luft. Die Rue de Ponthieu lag verlassen da, von den parkenden Autos abgesehen. Plötzlich traten zwei finstere Gestalten aus einer ebensolchen Toreinfahrt und kamen auf uns zu.

„Na, du Heiliger", quatschte mich der eine an. „Ich sollte doch nachsehen, ob du hier draußen bist, hm?"

„Mach kein Theater, Clovis", sagte der andere. „Immer sachte!"

Beim Freund eines Chlodwig hätte ich dem Friedensangebot eigentlich mißtrauen müssen. Ich spürte einen kräftigen Schlag auf die Schädelbasis und dachte nur noch: wie bei Rabastens. Jedenfalls fehlte nicht viel.

9.

Raubvögel

Ich kam wieder zu mir und wußte sofort, wo ich war: in irgendeinem unpersönlichen Büro in irgendeinem Bürohochhaus. Ich lag auf einem frischgebohnerten Fußboden. Etwas hart für meine Rippchen, aber sie hielten's grad noch so aus. Da ging es meinem armen Kopf schlechter. Kaum hatte ich die Augen geöffnet, als ich sie auch schon wieder stöhnend schloß. Zwei furchtbar helle Lampen schienen mir direkt ins Gesicht. Jemand sagte in höflichem, gepflegtem Ton:

„Er wacht auf. Sieh mal nach, wie's ihm geht, Albert."

Ein Mann beugte sich über mich und schüttelte mich. Wohl um sich zu vergewissern, daß ich nicht tot war. Ich stöhnte wieder.

„Geht ihm besser", stellte mein Krankenwärter fest. Offensichtlich leicht zufriedenzustellen, der Kerl.

„Gib ihm was zu trinken", befahl der Höfliche. „Und Schatten."

Gierig schluckte ich den Alkohol, der mir so fürsorglich angeboten wurde. Dann setzte ich mich auf und öffnete die Augen, diesmal endgültig. Die grellen Lampen waren jetzt nicht mehr auf mich gerichtet, dafür brannte eine Deckenleuchte. Drei Leute beobachteten meine Wiederauferstehung. Der, der mir auf der Straße eins verpaßt hatte, sein Freund und ein Dritter, anscheinend der Chef. Etwa fünfzig. Das Seidenhemd makellos weiß. Die Bügelfalte der grauen Hose scharf wie 'ne Rasierklinge. Der feine Herr stand neben einem wuchtigen Tisch, leicht aufgestützt. Sehr korrekt, sehr selbstsicher, kein gewöhnlicher Gauner. Aber trotzdem ein Gauner. Schweigend musterten wir uns gegenseitig. Um uns herum die

Grabesstille des menschenleeren Gebäudes. Instinktiv faßte ich in meine Brusttasche.

„Ihre Brieftasche ist hier", sagte der in dem Seidenhemd. Er nahm sie vom Tisch und gab sie mir. „Es ist nichts abhanden gekommen, Ehrenwort. Aber wir mußten ja wissen, mit wem wir's zu tun haben. Berechtigte Neugier, nicht wahr?"

„Sehr berechtigt, Monsieur Venturi."

Er lächelte.

„Sie sollten nicht ständig Namen in den Raum stellen, ohne Bescheid zu wissen, was Sie da sagen. Venturi! Was besagt der Name schon? Ich bin inkognito nach Paris gekommen, unter einem anderen Namen. Ich leite ein kleines Unternehmen, das nichts mehr mit meinen früheren Geschäften zu tun hat. Einige Freunde von damals sind noch bei mir. Ich wollte anständige Menschen aus ihnen machen. Frage mich, ob es mir gelungen ist. Clovis zum Beispiel ist immer noch schnell mit dem Knüppel dabei. Allerdings... wenn Sie nicht den Namen Venturi ins Gespräch gebracht hätten, obwohl Venturi gar nichts darin zu suchen hatte... Aber so haben Sie Clovis neugierig gemacht. Und mich auch. Los, Herr Privatdetektiv, spucken Sie mal aus."

„Mir ist schon ganz schlecht!" lachte ich.

„Komischer Heiliger, sag ich doch", stellte Clovis wieder fest.

„Ja, ja, schon gut. Biete Monsieur einen Stuhl an, Albert", befahl Venturi.

Albert war also der Kerl, dessen Rat, sachte vorzugehen, Clovis nicht gefolgt war. Er schob einen Stuhl für mich ran und half mir beim Hinsetzen. Mir ging's schon viel besser.

„Und jetzt", begann Venturi wieder, „müssen Sie mir sagen, warum Sie sich in meine Angelegenheiten mischen. Ich mißtraue Privatflics noch mehr als richtigen."

„Mein Lieber", sagte ich, „halten Sie mich nicht für schlauer, als ich bin. Hab ganz und gar nicht die Absicht, meine Nase in Ihre Angelegenheiten zu stecken. Aber als dieser Clovis das Mädchen dumm angequatscht hat, mit dem ich gerade so nett plauderte, wußte ich sofort, mit wem ich's zu tun hatte. Und da hab ich auf gut Glück Ihren Namen genannt, einfach so..."

„Also wußten Sie, daß ich mich hier aufhalte. Und genau das gefällt mir nicht. Wie haben Sie's erfahren?"

„Einige Journalisten wissen Bescheid."

„Ist mir scheißegal. Die Flics wissen's bestimmt auch. Auch das ist mir scheißegal. Nichts, was ich im Moment tu, verstößt gegen das Gesetz. Aber es stinkt mir, daß ich überhaupt im Gespräch bin."

„Wenn Sie nichts Strafbares tun, um so besser. Sie werden nämlich bald die Flics auf dem Hals haben. Damit meine ich keine unauffällige Überwachung..."

Der elegante Gangster sah mich mitleidig an.

„Sie wollen Anzeige erstatten?" fragte er betrübt. „Das wär aber höchst unvorteilhaft für Sie. Ich warne Sie."

Ich lachte. Schon das war höchst unvorteilhaft für mich, bei meinen Kopfschmerzen.

„Keine Sorge. Anzeige erstatten paßt nicht in meine philosophische Richtung. Wenn sie mir überhaupt die Gelegenheit dazu geben würden..."

„Sie glauben doch wohl nicht, daß ich Sie umbringen werde?"

„Wer weiß? Rabastens mußte schon dran glauben."

„Rabastens?"

„Ein Journalist. Hat dermaßen was auf die Rübe gekriegt, daß er an den Folgen gestorben ist. Und ich weiß ja jetzt, wie's ist, wenn Colvis zuschlägt..."

„Aber, hören Sie mal! Das meinen Sie doch wohl nicht im Ernst? Clovis ist nicht der einzige Knüppel-aus-dem-Sack hier in der Stadt. Warum hätte ich den Journalisten beseitigen lassen sollen?"

„Vielleicht weil er was rausgekriegt hatte, in Bezug auf Rauschgift oder so."

„Rauschgift?"

„Nie davon gehört, hm?"

„Hab schon lange nichts mehr damit zu tun."

„Tja. Aber Sie hatten. Und genau deswegen werden Sie bald die Flics auf dem Hals haben, Venturi. Die ermitteln in einer Rauschgiftsache. Würd mich wundern, wenn die nicht an Sie denken."

„Die Vergangenheit läßt einen nicht los", seufzte Venturi. „Man kann ihr nicht entkommen. Da halte ich mich einmal vollkommen raus... Na ja, soll mir egal sein. Ich hab nichts zu befürchten. Ob Sie's glauben oder nicht, ich habe nichts mit dem Tod von diesem Rabastens zu tun... und genausowenig mit der Rauschgiftgeschichte. Wär Ihnen übrigens sehr verbunden, wenn Sie mich darüber aufklären würden... es sei denn, Sie bluffen nur."

„Lesen Sie keine Zeitungen? Der Selbstmord von Lucie Ponceau, Parc de Monceau."

„Ach ja. Sie haben die Sache aufgedeckt, stimmt's? Sie sehen, ich lese doch Zeitung. Aber was hat das mit Drogen zu tun? Weil die Frau sich mit Opium vollgepumpt hat? Unter einer Rauschgiftgeschichte versteh ich was anderes..."

„Tun Sie doch nicht so naiv, Venturi! Oder können Sie nicht lesen? Lucie Ponceau ist an einer Überdosis Opium gestorben. Lucie Ponceau war aber nicht rauschgiftsüchtig. Alleine hätte sie sich kein einziges Gramm besorgen können. Also hat ihr jemand anders besorgt, was sie brauchte... und noch viel mehr... für den großen Abgang. Hab den Vorrat gesehen. Ein gutes Pfund. Lucie Ponceau konnte sich das nicht nach und nach beschaffen. Der großzügige Spender hatte gleichzeitig den Wunsch, sein tödliches Ziel unbedingt zu erreichen, und die Möglichkeit, aus dem vollen zu schöpfen. Folglich stand hinter der ganzen Sache ein Dealer."

„Hm", brummte Venturi. „So viel? Sind Sie sicher?"

Er fuhr mit der Zunge über die Lippen. Sein Blick wurde nachdenklich, verlor sich ins Leere. Clovis und Albert wollten es ihrem Chef gleichtun und brummten ebenfalls.

„Ich hab's gesehen", wiederholte ich. „Und die Zeitungen..."

„Denen glaub ich nicht. Sie übertreiben immer."

„In diesem Fall nicht."

Albert fluchte.

„Melganno", murmelte er unwillkürlich.

Venturi sah ihn an, und Albert hielt sofort die Klappe. Ich konnte so tun, als hätte ich nichts gehört. Melganno. Der Name sagte mir nichts, konnte mir aber noch weiterhelfen. Ich packte ihn in eine Ecke meines schmerzenden Hirns.

„Die Ermittlungen leitet Kommissar Faroux", nahm ich den Faden wieder auf. „Hat sich bestimmt dasselbe überlegt. Und er wird Sie überwachen lassen, wegen Ihrer früheren Aktivitäten..."

„Diesmal wird er sich die Zähne ausbeißen. Ich hab mit dem ganzen Kram nichts zu tun", wiederholte Venturi. Klang absolut aufrichtig.

„Wie schön für Sie. Na ja, jedenfalls hab ich Sie gewarnt."

„Vielen Dank", sagte er lächelnd. „Welchem Umstand hab ich das zu verdanken?"

Ich lächelte zurück.

„Zum Teil Ihrem persönlichen Charme..."

„Und zum anderen Teil Ihrer Angst vor Rabastens' Schicksal, stimmt's?"

„Klar, man kann nicht immer den Helden spielen!"

„Sie machen mich schlechter, als ich bin."

„Fein! Wenn sie nicht so schlecht sind wie Ihr Ruf, könnten Sie mich ja eigentlich laufen lassen."

„Aber gerne! Sie sehen, ich bin großzügig. Ich hoffe, ich werd's nicht bereuen müssen."

Ich stand auf. In meinem Kopf drehte sich alles. Lag an der Luft hier im Zimmer: geschlossene Fenster, zugezogene Vorhänge. Mir ging's aber nicht schlechter als nach einer mittleren Sauferei.

„Mich kotzt es an, wie Lucie Ponceau gestorben ist", sagte ich. „Eine große Künstlerin, alt, deprimiert. Sie wollte mit einem Leben Schluß machen, an das sie nicht mehr glaubte, das sie bedrückte, das es aber immer noch gut mit ihr meinte.

Ihr letzter Film hat es bewiesen. Ich gehör zu denen, die den Strick eines Selbstmörders durchschneiden, anstatt den Knoten endgültig zuzuziehen. Ihr hat man beim Selbstmord geholfen. So sehr geholfen, daß ich es Mord nenne... Verstehen Sie, wie ich das meine, Venturi?"

Er lächelte. Etwas spöttisch.

„Ihre Gefühle ehren Sie."

„Ich werde Ihnen keinen Ärger machen. Aber es wär besser für Sie, wenn dieser Fall aufgeklärt würde."

„Hm... Ich verstehe sehr gut, was Sie damit sagen wollen. Aber ich kann Ihnen doch schlecht auf die Sprünge helfen, nicht wahr? Aus allen möglichen Gründen. Beim Drogenhandel geht in letzter Zeit alles schief. Alle verstecken sich."

„Weiß ich", warf ich ein.

„Das ist allgemein bekannt. Schadet niemandem. Deswegen erwähne ich's. Clovis wird Sie jetzt hinausbringen. *Ciao*, Monsieur Burma."

„*Ciao*, Monsieur Venturi."

„Komm, du Heiliger", sagte Clovis.

Dies hier waren keine Mörder. Jedenfalls nicht heute nacht. Nur ganz einfach vorsichtige Leute. Ich sollte nicht wissen, in welches Gebäude sie mich geschleppt hatten. Auf dem Weg zum Aufzug durch einen unendlich langen, dunklen und totenstillen Korridor kriegte ich als Zugabe noch einen kräftigen Schlag auf den Hinterkopf. Schon kippte ich wieder aus den Latschen.

* * *

Zuerst dachte ich, die Schweine hätten mich angekettet. Überall Ketten, mächtige Ketten, wie Ankerketten. Aber bald merkte ich, daß ich mich dran festhielt, in dem lobenswerten Bemühen, mich auf meine schlotternden Beine zu stellen. Dann stieg ich über die Ketten hinweg, schwankte über Kies, mit glanzlosen Augen, todmüde. Nicht weit von mir sah ich ein Licht: das Haus des Kleinen Däumlings, das Haus des

Menschenfressers, irgendein Feuer oder 'ne Notrufsäule. Ich schwankte drauf zu. Meine unsicheren Schritte hallten jetzt auf Steinplatten wider. Über mir ein hallendes Gewölbe. Ein Uniformierter kam auf mich zu.

„Ist irgendwas?" fragte er.

„Muß wohl von einem Auto umgefahren worden sein", antwortete ich.

„Hm... Sind Sie vielleicht betrunken? Das hier ist eigentlich nichts für Besoffene."

Ein Windstoß bewegte die Flamme. Geheimnisvolle Schatten huschten hin und her. Die kantigen Gesichtszüge des Flics traten deutlich hervor. Seine Nase bekam riesige Ausmaße.

„Ich weiß nicht", antwortete ich und betrachtete das Grabmal des Unbekannten Soldaten, als sähe ich's zum ersten Mal. „Nein, ich bin nicht blau. Nur etwas benommen."

„Papiere?"

Ich reichte sie ihm. Er überflog sie, wiegte dann den Kopf hin und her.

„Hm... Privatdetektiv... hm... Wohnen Sie weit von hier?"

„Im Cosmopolitan."

„Sollten nach Hause gehen. Schaffen Sie's?"

„Es schafft mich."

* * *

In meiner Wohnung angekommen, leistete ich erst mal meinem armen Kopf Erste Hilfe. Dann nahm ich den Hörer und ließ mich mit einem Hotel in der Rue d'Amsterdam verbinden, dem Hôtel Dieppois oder de Dieppe. Wußte ich nicht mehr genau. Nach einer Weile meldete sich eine verschlafene Stimme:

„Hôtel Dieppois."

„Hier Nestor Burma, vom Cosmopolitan. Bei Ihnen wohnt ein Mädchen, Micheline. Den Familiennamen weiß ich nicht. Möchte mit ihr sprechen."

„Moment."

Ich wartete. Dann:

„M'sieur Burma?"

„'n Abend, meine Kleine. Wollte nur wissen, ob Ihnen nichts passiert ist."

„Aber Sie hat man doch..."

„Mir geht's sehr gut. Ich werd immer prima mit solchen Situationen fertig. Sagen Sie... haben Sie die Polizei alarmiert?"

„Ja, natürlich. Als ich gesehen hab, wie... An der Place Saint-Philippe-du-Roule hab ich einen Flic erwischt. Als ich mit ihm wieder in die Rue de Ponthieu kam, war keiner mehr da. Der Flic hat geglaubt, ich wollte mich über ihn lustig machen. Hat mir geraten, so was nicht noch mal zu machen. Lieber sollte ich eine Perlenkette verlieren."

„Haben Sie meinen Namen genannt?"

„Vielleicht. Weiß ich nicht mehr. Schlimm?"

„Macht nichts. Gute Nacht, Micheline."

„Gute Nacht, M'sieur."

Ich legte auf, erneuerte meine Kompressen und versuchte, meine Gedanken zu sortieren.

„Ja, so muß ich die Sache anpacken", murmelte ich vor mich hin und griff wieder zum Telefon.

Ich verlangte eine Verbindung mit Reboul, dem treuen einarmigen Mitarbeiter der Agentur Fiat Lux. Er hatte zwar Urlaub, wie alle anderen Clubmitglieder. Aber auch er liebte Paris viel zu sehr, als daß er die Stadt verlassen hätte.

„Brauchen Sie mich, Chef? Tja, aus den Zeitungen weiß ich... Klar, hab schon auf Ihren Anruf gewartet."

„In dieser Drogengeschichte geht es um schreckliche Dinge. Angeblich gibt es so was wie Drogenhandel überhaupt nicht mehr. Trotzdem hatte Lucie Ponceau 'n gutes Pfund zu Hause. Sie haben doch Freunde im Pigalle, oder? Haben Sie keine Lust, Ihnen mal vorsichtig auf den Zahn zu fühlen, nur mal so?" Ich erzählte ihm von Venturi. „Die haben einen

Namen erwähnt: Melganno. Komisch, klang ziemlich vertraut in meinen Ohren. Erst dachte ich, ich hörte den Namen zum ersten Mal, aber jetzt... Liegt sicher an meinem Kopf."

„Melganno?" wiederholte Reboul. „Sie lesen doch Zeitung, hm?"

„Ja, natürlich. Ich versorg sie nicht nur mit Artikeln..."

„Den Namen haben Sie dort gelesen. Melganno ist ein internationaler Rauschgifthändler. Kollege von Venturi. Italiener. Ist an der Grenze verhaftet worden, auf unserer Seite."

„Nein, ich hab den Namen nicht in der Zeitung gelesen" sagte ich. „Daran hätte ich mich erinnert. Von der Verhaftung wußte ich nichts. Na ja... wird mir schon wieder einfallen. Inzwischen rechne ich mit Ihnen."

„Ich werd mein Mögliches tun."

Wir legten auf. Ich zog mich aus und legte mich ins Bett. Wegen der Kopfschmerzen schlief ich schlecht. Ich gestattete mir den Luxus, meine Schlaflosigkeit zum Nachdenken zu nutzen.

Lucie Ponceau hatte vom Leben die Schnauze voll. Anstatt sie wieder aufzurichten, hat ihr irgendein Schwein das nötige Gift besorgt. Wer? Keine Ahnung. Ein Schwein eben. Warum? Keine Ahnung. Jedenfalls mußte ein Dealer dahinterstehen. Erstens: er war nicht geizig. Zweitens: Rabastens war ermordet worden. Der Journalist hatte irgendwas über die Sterbehilfe rausgekriegt... Vorbereitung oder Durchführung... Ein Gelegenheitsverbrecher wär zwar auch nicht grade begeistert, entlarvt zu werden. Aber er hätte den Zeugen nicht gleich aus dem Weg geräumt. Dagegen ein Berufsverbrecher... Für so einen ist das fast schon Notwehr, vor allem, wenn außer seiner Rolle bei Lucie Ponceaus Selbstmord noch was anderes entdeckt werden konnte. Also am besten ein Rauschgifthändler. Weiter brauchte man gar nicht zu suchen. O. k., Nestor?

„Das Schwein", antwortete ich auf meine Frage, „wäre dann gleichzeitig ein Bekannter von Lucie Ponceau – Motiv: Rache oder so was – und Rauschgifthändler."

„Ja."

„Paßt das zusammen?"
„Nicht auf Anhieb."
„Dann schlaf."
„Werd's versuchen."

10.

Die Wundertüte

Um acht war ich wieder auf den Beinen. Noch etwas wacklig, aber das wär ich im Bett auch gewesen. Ich nahm ein Bad. Dann ließ ich mir, zusammen mit Kaffee, Aspirin und Mineralwasser, die Zeitungen aufs Zimmer bringen: von heute, von gestern und von vorgestern. In einer Ausgabe entdeckte ich den Bericht über die Verhaftung von Errico Melganno. Melganno, Erricco! Errico Melganno! Der Name kam mir seltsam bekannt vor. Je wacher ich wurde, desto vertrauter schien er mir. Vertraut war das richtige Wort dafür. Wahrscheinlich hatte der Knüppel dieses Clovis' mein Momentgedächtnis aktiviert. Oder aber ich dachte an Sylvana Mangano, die transalpine Schauspielerin, wie sie genannt wurde. Und vor allem an ihre hübschen Beine in *Bitterer Reis* ... Ich lebte in der Welt des Films, das darf man nicht vergessen ... Der Mann an der Rezeption unterbrach durch sein Klingeln meine Grübeleien. Unten warte eine gewisse Micheline Colladant.

„Schicken Sie sie rauf", sagte ich.

Sie hatte ihr Pin-up-Girl-Uniform abgelegt. Kein Dekolleté à la Berthe mehr. Kein aufreizender Busen. Nur das, was nötig war, um Aufmerksamkeit zu erregen. Unauffälliges Make-up. In ihrem leichten Sommerkleid, zurückhaltend in Form, Farbe und Benehmen, wirkte sie wie eine Tochter aus gutem Hause auf Neujahrsbesuch. Hätte aber den kleinen Cousins schlaflose Nächte bereiten können, wenn man genauer hinsah.

„Störe ich, M'sieur?" fragte sie scheu.

„Überhaupt nicht. Was verschafft mir das Vergnügen?"

„Ich ... ich habe mir Sorgen gemacht ... wollte sehen, wie's Ihnen geht ..."

„Das hab ich Ihnen doch schon am Telefon gesagt."

„Ja, natürlich, aber... schließlich war das alles meine Schuld... Haben Ihnen diese Männer sehr wehgetan?"

„Ach, es ging so. Kaffee?"

Ich klingelte und bestellte einen Nachschlag.

„Von Monique hab ich immer noch nichts gehört", sagte Micheline und stellte ihre Tasse auf den Tisch.

„Ich auch nicht", sagte ich lächelnd. „Meinen Sie, weil ich Detektiv bin..."

„Nein, nicht deshalb..." Sie schwieg verlegen und begann, mit einem Finger Kreise auf ihr Knie zu zeichnen. Dadurch schob sich ihr Rock ganz langsam nach oben, wie unabsichtlich. „... Sie wollten Monique einen Auftrag geben... Und weil sie im Moment nicht da ist... eine, die so ist wie sie... moralisch... Sie meinen zwar, ich wär anders... also... na ja, ich bin so wie Monique!"

Jetzt sah sie mich herausfordernd an. Ich sah bekümmert zurück.

„Sie sind enttäuscht, M'sieur Burma, nicht wahr?"

Ich hob die Schultern.

„Ich bin gar nichts", brummte ich unwirsch.

Und ob ich was war! Jedenfalls waren meine Gedanken ganz und gar nicht schmeichelhaft. Also sind doch alle gleich? Die hier vielleicht weniger raffiniert als Monique... aber was tut man nicht alles, um in die Nähe von Tony Charente zu kommen? Mich kotzte mein eigener Plan an, ein karrieresüchtiges Pin-up-Girl auf den Leinwandstar anzusetzen. Und ich hatte Monique den gutbürgerlichen Rat gegeben, sich einen Mechaniker zu suchen! Einen Mechano... Ich lachte laut auf. Danach fühlte ich mich gleich besser.

„Was ist daran so komisch?" fragte Micheline und zog ihre Nase kraus.

„Ach, nichts. Ich mußte über was anderes lachen."

Endlich wußte ich, was mich an den Namen Melganno erinnerte. Mit dem Kerl hinter Schloß und Riegel hatte das aber nichts zu tun. Auch nicht mit dem traumschönen Star aus

Bitterer Reis. Von dem Gespräch mit Monique war mir das absurdeste Wort im Gedächtnis geblieben. Einem solchen Mädchen so was vorzuschlagen! *Es gibt so viele hübsche Kerle auf der Welt... Mechaniker oder so...* Ich hatte den Mechaniker sozusagen zum Gebrauch empfohlen, Monique hatte verächtlich darüber gelacht. Das war die einzig mögliche Erklärung für meine fixe Idee. Wenn ein Detektiv sich so wirres Zeug zusammenreimt, kann er am besten gleich die Rente einreichen. Allerdings gestand ich mir mildernde Umstände zu, wegen Knüppel-aus-dem-Sack. Befreit von meiner fixen Idee, wandte ich mich wieder Micheline zu.

„Also, Sie kandidieren für den Job?"

„Ja."

„Möchte wissen..."

In diesem Moment stürmten zwei Gestalten in meine Wohnung. Keine Vorankündigung durch den Portier, kein Klopfen. So charmant wie 'ne Ausnüchterungszelle: Florimond Faroux mit einem seiner Männer.

„Oh! Salut", begrüßte ich meine neuen Gäste. „Manieren sind das! Sie könnten glatt von der Polizei sein."

„Machen Sie keine Witze, Nestor Burma", bremste mich der Kommissar. „Ihnen ist doch gar nicht danach. Sieht man Ihrer Nasenspitze an. Sie sehen müde aus."

„Bin ich auch. Und nicht wegen..."

„Ja, ja, schon gut", unterbrach er mich und hob die Hand. Bedeutungsvoll musterte er Micheline.

„Benehmen Sie sich", forderte ich ihn auf.

„Und Sie sich auch. Stellen Sie uns gefälligst vor."

„Micheline Colladant", murmelte ich. „Zufrieden?"

Die Muskeln im Gesicht des Kommissars spannten sich.

„Micheline Colladant? Verdammter Nestor! Was machen Sie beruflich, Mademoiselle?"

„Künstlerin", antwortete ich.

„Sind Sie gefragt worden?" brüllte mich Faroux an. „Hab die Schnauze voll von Künstlern." Und zu Micheline: „Können Sie sich ausweisen?"

„Was soll das? Kann ja heiter werden . . .“

„Heiter bis wolkig, leider. Können Sie sich ausweisen?“ wiederholte er. „Ich hab das Recht dazu. Monsieur Burma hat mich nicht vorgestellt. Faroux, Kriminalkommissar.“

„Oh, Monsieur . . .“ flüsterte Micheline ängstlich.

„Keine Angst“, mischte ich mich ein. „Er frißt nicht gleich jeden.“

„Aber Sie hab ich schon lange gefressen“, knurrte mein Freund. Er überflog den Ausweis des Mädchens und gab ihn wieder zurück.

„Wo wohnen Sie?“

„Hôtel Dieppois, Rue d'Amsterdam.“

„Zum Totlachen, hm, Fabre?“ sagte Faroux zu seinem Inspektor.

„Ja“, stimmte der andere finster zu.

„Darf man wissen . . .“ riskierte ich.

Mein Freund von der Kripo sah mir tief in die Augen.

„Das geht etwas zu weit“, sagte er.

„Glaub ich gerne“, lachte ich.

„Ich rede von Ihnen. Sie übertreiben nämlich. 324-AB-75. Sagt Ihnen das was? 324-AB-75.“

So wie er die Nummer aussprach, war sie bestimmt nicht der Hauptgewinn der Nationallotterie. Oder er hatte vergessen, sich ein Zehntellos zu kaufen.

„324-AB-75?“ fragte ich nach.

„Ja.“

„Scheiße! Mein Autokennzeichen!“

„Und wo steht Ihr Auto?“

„In der Nähe des Berkeley. Seit gestern abend.“

„Falsch, mein Lieber. Es ist abgeschleppt worden.“

„Abgeschleppt? Geht das jetzt so weiter? Operation Abschleppkran. Operation Strafzettel. Oper... Verdammt nochmal! Erzählen Sie mir nicht, daß Bankräuber meine Karre geklaut haben. Hätte mir noch gefehlt.“

„Ja, ein Banküberfall hätte noch gefehlt in der Sammlung“, bemerkte Faroux sarkastisch. „Soweit sind wir aber noch nicht. Inzwischen wollen wir uns Ihren Wagen mal ansehen. Seite an Seite."

Wir verließen das Cosmopolitan durch einen Hinterausgang. Dort stand für uns ein Polizeiwagen bereit.

„Sieht so aus, als hätten Sie eine Beule am Hinterkopf."

„Hab mich an der Tür gestoßen."

„Gehen Sie rückwärts?"

„Scheint so."

„Typisch Nestor Burma! Nichts so tun wie alle andern. Verübt eine Frau Selbstmord, an ihrem Bett stehen. Wird ein Mann erschlagen, ihn zufällig kennen, flüchtig natürlich. Wird ein Auto gestohlen, sein eigenes zu Verfügung stellen ... Wie ich schon sagte: Das geht zu weit."

„Und Sie übertreiben", zitierte ich ihn.

Dann schwiegen wir. Micheline bedauerte sicher, mich besucht zu haben. Ich tätschelte ihr die Hand.

Auf dem Sammelplatz für heimatlose Autos sprang ein halbes Dutzend Polizisten um meinen Dugat herum.

„Nun?" fragte Faroux. „Kein Zweifel, hm? Ihrer?"

„Meiner. Bis auf die Beule am Kotflügel."

„Folgen eines Unfalls."

„Darf man fragen, wie er hier gelandet ist?"

„Ist am Cours la Reine gefunden worden, mutterseelenallein. Kleiner Motorschaden."

„Kleiner Motorschaden? Völlig im Eimer, wollten sie wohl sagen, oder?"

„Nein."

„Wär mir auch egal. Wann kann ich ihn wiederhaben?"

„Wenn wir mit ihm fertig sind ... Haben Sie alle Fingerabdrücke?" fragte er die geschäftigen Flics.

„Ja, Chef. Weiß nicht, ob das was nützt. Wenn's zu viele sind ..."

„Wir werden sehen ... Und jetzt, Burma, wenn Sie mir bitte folgen würden ..."

Wir stiegen wieder in den Polizeiwagen. Inspektor Fabre war inzwischen mit Micheline verschwunden. Ich erkundigte mich nach den beiden.

„Sie werden sie später wiedersehen."

„Wohin geht die Reise?"

Er antwortete nicht. Ich runzelte die Stirn. Ich runzelte sie noch mehr, als der Wagen anhielt ... vor der Morgue. Sah ganz einladend aus in der heißen Junisonne. Ich wußte nicht, was ich sagen sollte. Also schwieg ich. Nur unsere Schritte hallten auf den blitzblanken Fliesen der Flure wider. Schweigend gingen wir in die Kühlhalle.

„Nr. 15", sagte Faroux zu einem Mann mit grauem Kittel und ebensolcher Gesichtsfarbe, der sich in den makabren Schubladen auskannte.

„So, und deswegen bin ich der Meinung, daß Sie übertreiben, Burma. Das lag in Ihrem Kofferraum."

* * *

Sie war nackt. Von nun an würde sie immer nackt bleiben! Ihre Haut hatte nicht mehr diese zarte bernsteinfarbene Tönung. Wurde langsam elfenbeinfarben. Sehr unangenehm. Ihr straffer, üppiger Busen schien sich in einem letzten Anflug von Stolz noch einmal aufzurichten. Ihr kastanienbraunes Haar bedeckte einen Teil des Gesichtes, das vor kurzem noch so hübsch, so unverschämt herausfordernd gewesen war. Jetzt hatten es ungläubiger Schrecken und Schmerz völlig verzerrt. Das Make-up verblaßte nach und nach, wirkte abstoßend giftig. Am Hals war ein häßliches kleines Loch zu sehen. Dadurch war das Leben der verführerischen Evastochter zum Teufel gegangen.

„Mein Gott!" rief ich. „Monique!"

„Ja. Monique Grangeon. Wohnhaft im Hôtel Dieppois. Genauso wie ihre Freundin Micheline, Künstlerin wie sie, mit der Sie sich anscheinend bestens verstehen. ... Kannten Sie sie gut?" fragte der Kommissar und wies mit dem Kinn auf die Tote.

„Hab sie einmal gesehen."

„Leute, die Sie nur flüchtig kennen, haben kein Glück. Das kann man schon mal festhalten. Na schön… Sie können sie wieder einpacken, Alfred. Kommen Sie, Burma! Gehen wir in mein Büro."

Schwankend folgte ich ihm. Ich hatte das Gefühl, daß ich nach Leiche roch. Wie gestern.

* * *

Florimond Faroux ließ sich auf seinen Stuhl hinter dem mit Papier überhäuften Schreibtisch fallen. Er atmete schwer, öffnete den obersten Hemdknopf, löste den Krawattenknoten und begann, sich systematisch den Schweiß abzuwischen: Nacken, Hals, Kinn, Stirn. Ich schwitzte auch wie ein Affe. Nicht nur wegen der Hitze. Hatte nicht mal die Kraft, mir den Schweiß abzuwischen. Also ließ ich ihn übers Gesicht aufs Hemd tropfen. Der Kommissar drehte sich eine Zigarette, zündete sie an.

„Sie rauchen nicht?" fragte er.

„Mir ist mehr zum Kotzen", mußte ich zugeben.

„Ein Pfeifchen hilft vielleicht dabei…"

„Scheiße. Zur Sache. Was haben Sie mit Micheline gemacht?"

„Sie ist hier bei uns. Die Tote war ihre Freundin, vergessen Sie das nicht! Ich brauche ihre Zeugenaussage… und Ihre auch, Burma." Er stand auf und setzte sich auf die Schreibtischplatte, direkt vor meine Nase. „Ich glaub ja nicht, daß Sie die Kleine umgebracht haben, die wir eben im Kühlhaus gesehen haben. Im Kühlhaus!" Er seufzte und sah schwitzend zur Decke. „Aber, Herrgott nochmal! Das muß man sich mal vorstellen: Sie kriegen den letzten Seufzer einer Schauspielerin mit, die sich mit Opium vollgepumpt hat; einer Ihrer Freunde wird um die Ecke gebracht; Ihr Schlitten dient als Leichenwagen für ein Mädchen, von dem Sie zumindest den Vornamen kennen. Und deren Freundin gehört ebenfalls zu Ihren Zufallsbekanntschaften. Anscheinend haben sie sich wegen

·ihr heute nacht sogar mit irgendwelchen Leuten rumgeprü-
gelt. Ja, diese Micheline hat uns alarmiert. Dabei ist Ihr Name
gefallen... Sagen Sie mal, Burma: welche Rolle spielen Sie in
dem Film?"

„Keine. Mein derzeitiger Klient hat nichts damit zu tun. Ich
sag Ihnen besser gleich den Namen: Montferrier."

Ich erzählte ihm von den Befürchtungen des Produzenten,
warum ich auf Tony Charente aufpassen sollte usw.... Sogar
meine Taktik legte ich ihm auseinander.

„Gute Idee, Ihre Taktik", kommentierte Faroux. „Typisch
Privatflic. Offen gesagt, ich glaube, Sie werden damit nicht
weiterkommen. Und dazu brauchen Sie ein Pin-up-Girl,
hm?"

„Ja. Ich persönlich seh leider nicht so aus wie Martine
Carol, nicht mal von hinten. Ein Glück für mich, nebenbei
gesagt."

„Ja. Und da haben Sie an diese Monique gedacht. Warum?"

„Weil sie alle Eigenschaften für die Rolle besitzt. Blöd
genug, um nichts von dem zu kapieren, was sie gesehen oder
gehört hätte, aber nicht zu blöd, um mir alles zu berichten.
Dazu leicht genug rumzukriegen, um im Handumdrehen
Tony Charentes Geliebte zu werden."

„Übertreiben Sie da nicht etwas?"

„Wenn Sie sie anders kennengelernt hätten als bei ihrer letzten Nummer für Nekrophile, würden Sie mir zustimmen."

„Wie haben Sie sie denn kennengelernt?"

„In meinem Schlafzimmer, vor drei Tagen. Sie hat in meinem Bettchen... geschlafen. Leute vom Film – davon gibt's
jede Menge im Cosmopolitan – hatten im *dancing* eine Hop-
serei veranstaltet. Sie war wohl auch dabeigewesen. Wollte
sich nur einen Moment ausruhen, hat sich im Zimmer geirrt
oder ist ins erstbeste eingefallen... leicht besoffen, verstehen
Sie?"

„In Ihrem Bettchen..." Er warf mir einen zweideutig-ein-
deutigen Blick zu. „Kleiner Glückspilz, hm?"

„Großer Glückspilz sogar. Schrecklich groß! Ich seh das

Mädchen ein einziges Mal, zwischen Tür und Angel sozusagen, und kurz darauf wird sie in meinem Wagen entdeckt – als Leiche. Wenn das kein Glück ist! Jedenfalls mal was anderes."

„Zurück zu unseren Lieblingen: Gestern also suchen Sie Monique, um sie bei Tony Charente einzuschmuggeln. Richtig?"

„Richtig."

Ich erzählte ihm von Marc Covets Bemühungen, von dem Streit im Eléphant, von Micheline, von Moniques Verschwinden, von unserem Verschwinden aus der Bar, von dem Zusammenstoß in der Rue de Ponthieu.

„Was waren das für Kerle?" wollte Faroux wissen.

„Dazu komm ich sofort. Sie hauen mir was über die Rübe und entführen mich, wie einen reichen Erben. Deswegen war natürlich keiner mehr da, als Micheline mit dem Flic zurückkam. Sie schleppen mich zu ihrem Chef. Kleine Diskussionsrunde. Irgendwann später finde ich mich am Arc de Triomphe wieder, verheddert in den Absperrketten. Wahrscheinlich einfach aus einem Wagen geschmissen. Läßt sich nachprüfen. Einer Ihrer Leute wollte nicht glauben, daß ich der Unbekannte Soldat bin. Hat meinen Ausweis verlangt."

„Hm…", brummte der Kommissar. „Und der Chef? Was war das für ein Kerl?"

„Sie werden Bauklötze staunen", bereitete ich ihn vor. „Hab zwar versprochen, ihn nicht anzuzeigen. Hab auch indirekt versprochen, kein Wort davon zu verlieren. Aber der Mord an der Kleinen verändert die Lage ein wenig. Abgesehen von den K.-o.-Schlägen verlief unser Rendezvous eher harmonisch. Zu harmonisch, wenn ich's genau überlege. Warum sollten sie mir während unserer herzlichen Plauderei keinen üblen Streich spielen? Angenommen, sie haben Monique kaltgemacht… Einer von ihnen war hinter ihr her – dreimal dürfen Sie raten, warum. Nehmen wir weiter mal an, sie wußten, daß mein Wagen vor dem Berkeley stand. Das hatte ich nämlich Micheline erzählt. Vielleicht hatten sie das Gespräch belauscht. Während der Chef mich bei Laune hält, klauen

andere meinen Wagen, packen die Leiche in den Kofferraum…"

Faroux haute mit der Faust auf den Tisch.

„Zum letzten Mal!" schrie er. „Wer war der Chef?"

„Venturi."

„Venturi?"

Seine Miene verfinsterte sich.

„Internationaler Gangster, vorsichtig ausgedrückt",
erklärte ich. „Seit kurzem auf den Champs-Elysées, in einem
Luxushotel. Entschuldigen Sie, daß ich alles besser weiß, Florimond."

„Sie wissen überhaupt nichts besser. Manchmal kriegen
auch wir was mit." Er seufzte. „Venturi backt jetzt kleinere
Brötchen. Töten ist nicht mehr seine Masche. Aber vielleicht
können wir trotzdem einiges aus ihm rausholen…" Kurze
Pause. „… Hat sich heute morgen aus dem Staub gemacht, er
und seine Leute. Obwohl wir ihn überwacht haben. Jedenfalls
sind sie abgehaun." Wieder schlug er mit der Faust auf den
Tisch, stieß wüste Beschimpfungen aus. „Verdammt und
zugenäht! Die werden was von mir zu hören kriegen…"

Ich ließ seinen Ärger verrauchen. Dann erkundigte ich
mich nach dem Mord an Monique.

„Erschossen", war die knappe Auskunft. „In den Nacken."

„Und die Kugel?"

„Am Kiefer wieder raus. Lag der Sendung nicht bei."

„Ist sie schon lange tot?"

„Seit gestern, höchstens. Bei dieser Hitze… so wie die Leiche aussieht… länger kann's noch nicht her sein."

„Haben Sie schon einen Verdacht? Außer gegen mich natürlich…"

Er überhörte die Spitze.

„Verdacht? Soll ich mir den aus den Fingern saugen? Heute
morgen ist Ihr Wagen am Cours la Reine entdeckt worden, im
Kofferraum der blinde Passagier. Mehr weiß ich auch nicht.
Vorstellen kann ich mir noch, daß irgendwelche Leute – die
von Venturi oder andere – das Mädchen abgeknallt haben und

die Leiche loswerden wollten. Sie haben Ihren Schlitten geklaut – Sie müssen ja immer in so was verwickelt sein! – und wollten ihn samt Leiche in die Seine schmeißen. Aber dann ist ihnen ein Motorschaden dazwischengekommen. Und damit wissen wir zweierlei ganz sicher: die Kerle sind gefahren wie die Henker – Beweis: die Beulen im Kotflügel –, und sie waren keine begabten Mechaniker. Der Schaden hätte leicht behoben werden können..."

Bittere Ironie des Schicksals! Was waren Moniques letzte Worte gewesen, als ich sie aus meinem Zimmer geworfen hatte? *Bis dann. Wenn ich meinen Mechano gefunden habe.* Warum mußte sie ausgerechnet auf solche Versager treffen?

„Wir konnten das Opfer schnell identifizieren", fuhr Faroux fort. „Hatten sie hier in der Kartei. Eine Jugendsünde. Auch ihre Adresse konnten wir leicht rauskriegen. Im Hôtel Dieppois wurde uns gesagt, daß sie seit zwei Tagen verschwunden war. Das war schon öfter passiert. Wir wurden auf eine Freundin der Toten verwiesen. Micheline, die wir bei Ihnen im Cosmopolitan angetroffen haben..."

„Ja, ja... Und im Kofferraum... war die Leiche nackt?"

„Nein. Wollen Sie ihre Klamotten sehen? Hat uns zwar nicht weitergebracht, aber vielleicht... kann nicht schaden, wenn Sie sich das Zeug ansehen. Sozusagen mit andern Augen."

Er klopfte an die Zwischenwand. Kurz darauf steckte einer seiner Untergebenen den Kopf durch die Tür.

„Die Kleider der Roten, André. Verhört Fabre immer noch die Freundin?"

„Hat eben aufgehört."

„Und? Was Interessantes?"

„Nein."

„Bring doch gleich auch das Protokoll mit."

Der Flic verschwand und kam mit einer Schreibmaschinenseite und einem Paket wieder. Faroux schnürte das Paket auf: Bei dem Anblick der Kleidungsstücke wurde mir ganz anders. Die hochhackigen Schuhe, die Nylonstrümpfe, noch an den

Strumpfbändern befestigt, ein schwarzer Gürtel mit goldener Schnalle, der weite Rock, die tiefausgeschnittene Bluse, im O des aufgestickten Vornamens ein verdächtiger brauner Fleck. Das Ganze roch immer noch nach dem teuren Parfüm. In der Rocktasche ein Lippenstift, zwei Seidentücher, eins malvenfarben, das andere gelb, und eine Puderdose. Keine Schlüssel, keine Ausweispapiere, kein Geld. Und in dem ganzen Kram kein Büstenhalter und kein...

„Kein Slip?" fragte ich.

„Kein Slip. War vielleicht praktischer."

„Hören Sie auf. Keine Spuren von Gewaltanwendung?"

„Nein... Und?"

„Nichts und. Nur daß ich sie in dieser Kleidung gesehen habe, als sie noch lebte. Und die wissenschaftliche Untersuchung?"

„Null."

Der Kommissar verschnürte das Paket mehr schlecht als recht und legte es auf einen Stuhl. Dann nahm er sich Michelines Aussage vor.

„Null. Nichts Interessantes drin", brummte er. „Nur daß so ein Kerl in den letzten Tagen hinter Monique her war. Nämlich der, der mit Ihnen im Eléphant Streit angefangen hat. Verflixt und zugenäht! Venturi und seine Bande! Aber mit Mord haben sie eigentlich nichts mehr am Hut... obwohl... sich so Hals über Kopf davonzumachen..."

Er sah mich an.

„Mehr kann ich Ihnen auch nicht sagen", antwortete ich auf seine unausgesprochene Frage. „Und was haben Sie jetzt mit Micheline vor?"

„Was soll ich mit ihr vorhaben? Sie können sie zum Essen ausführen, wenn's Ihnen Spaß macht. Mir egal! Lucie Ponceau, Rabastens, Monique Grangeon... das hat alles miteinander zu tun, Burma!"

„Glaub ich auch. A propos Rabastens: gibt's was Neues?"

„Nichts. Der Arzt meint, daß er lange vor dem tödlichen Schlag schon einen ersten verpaßt gekriegt hat, von dem er nur bewußtlos war... und daß der Tod kurz nach Lucie Ponceaus Selbstmord eingetreten ist."

„Aha!"

„Hab ich auch gesagt."

„Wirklich sehr mager. Und beim Fall Lucie Ponceau?"

„Auch nichts Neues... Sagen Sie, Burma, Ihr Tony Charente war doch mal der Liebhaber von Lucie Ponceau, oder? Sein Foto war in dem... Familienalbum, wie ich es nenn. Und Sie sagen, er war damals rauschgiftsüchtig?... Hm... hm..."

„Hören Sie, Faroux, ich hab den Auftrag, Tony Charente zu überwachen und..."

„... und ich hab den Auftrag, alle zu überwachen", schnauzte er. „Und ich tu was für mein Geld. Ihre Klienten und Ihre Geschichten sind mir scheißegal! Ich tu das, was ich für richtig halte."

„Nun brüllen Sie doch nicht gleich so rum", beruhigte ich ihn. „Hinterher denken die andern, ich beiß Ihnen was ab."

Wenig später verließ ich sein Büro und, zusammen mit Micheline, den Quai des Orfèvres. Das arme Mädchen war völlig fertig. Ich mußte mir verdammt viel einfallen lassen, um so etwas wie ein Lächeln auf ihre roten Lippen zu zaubern. Ich aß mit ihr zu Mittag, dann ging ich schwankend ins Cosmopolitan zurück, wie zerschlagen, am Ende meiner Kräfte. Hin und wieder rempelte ich friedliche Spaziergänger auf den Champs-Elysées und schlug die Tauben, die ich überhaupt nicht mehr wahrnahm, in die Flucht. Mensch und Tier mußten mich für reichlich blau halten.

„Bin für niemanden zu sprechen", sagte ich zu dem höflichen Portier, der stocksteif an der Rezeption saß. „Für niemanden, verstehen Sie? Außer für einen Einarmigen namens Reboul."

Oben warf ich mich aufs Bett und schlief sofort ein, vollständig angezogen.

* * *

Das Läuten des Telefons weckte mich. Um mich herum tiefe Nacht. Ich sah auf die Leuchtziffern meiner Armbanduhr. Kurz nach zehn. Ich nahm den Hörer.

„Monsieur Reboul, Monsieur."

„Soll raufkommen."

„Am Telefon, Monsieur."

„Ah! Gut."

„Hier Reboul", meldete sich mein Mitarbeiter. „Bin bei einem, der 'ne Menge interessantes Zeug für Sie hat. Sollen wir kommen?"

„Wenn Ihr Mann kein schräger Vogel ist, ja. Die Leute hier im Cosmopolitan sehen mich schon schräg genug an. Bei dem gemischten Besuch! Flics, Gangster..."

„Riton sieht ausgesprochen gut aus. Hieß früher ‚Gepelltes Ei'. Davon ist noch was hängengeblieben."

„Dann setzt euch mal in Trab."

Ich zog einen Morgenmantel über, stopfte mir eine Pfeife und wartete im Salon. Zehn Minuten später rückten sie an. Das gepellte Ei Riton machte wirklich keinen schrägen Eindruck. Allerdings war sein petrolfarbener Anzug nicht mehr der neueste.

„So 'ne Bude hatte ich auch, damals, in Mailand", sagte Riton und ließ seinen Kennerblick schweifen.

„Ich bin kein Judas", begann er, nachdem wir uns gesetzt hatten. „Was Sie von mir erfahren werden, ist auch den Flics bekannt, oder es stand in der Zeitung. Wenn Sie in den Jahrgängen des *Détéctive* oder anderer Zeitschriften blättern, erfahren Sie genausoviel. Ich werd Ihnen einfach nur helfen, Zeit zu sparen. Das ist so einige Scheinchen wert, finde ich. Offen gesagt, macht mir 'n Heidenspaß, einem Privatflic Geld abzuknöpfen."

„Schießen Sie los", sagte ich.

„Also..."

Als das gepellte Ei, durch etwas Geld aufgewertet, in Begleitung von Reboul das Cosmopolitan verließ, hatte ich folgendes erfahren:

Vor gut einem Jahr waren die Rauschgiftbanden unter dramatischen Umständen ausgedünnt worden. Drei verbündete Gruppen, die von Lucas, Grodubois und Verbrouck, besaßen einen riesigen Vorrat an Morphium, Kokain, Heroin und Opium. Den größten Vorrat in der Geschichte des Drogenhandels, auf mehrere Hundert Millionen geschätzt. Sie versteckten das Zeug in einer Villa im Vorort von Paris und ließen es von ganz harten Jungs bewachen. Aber eines schönen Tages bekamen diese harten Jungs Besuch von noch härteren Jungs. Der Besuch machte sie kalt und ließ die heiße Ware mitgehen. Wer das war, wußte man nicht genau. Aber in der Unterwelt ging das Gerücht: möglicherweise hatte man es mit den Leuten von Jérôme Blanchard zu tun. Dieser Blanchard war plötzlich wie vom Erdboden verschluckt. Ist nie wieder aufgetaucht, genausowenig wie die Ware. Nach dem Coup jedenfalls begann ein richtiger Bandenkrieg zwischen den ehemaligen Freunden, die sich den Raub gegenseitig in die Schuhe schieben wollten. Seitdem war nie wieder in so einem großen Stil mit Rauschgift gehandelt worden. Möglich, daß Venturi zur Grodubois-Clique gestoßen war. Aber das wußte Riton nicht genau ... oder wollte es nicht wissen. Und dieser Melganno hatte mit allen Banden „Handelsbeziehungen" unterhalten.

Das gepellte Ei hatte mir fairerweise schon vorher gesagt, er sei kein Judas. Über die ganze Geschichte war damals lang und breit in den Zeitungen geschrieben worden. Durch die Plauderstunde hatte ich nur etwas Zeit gespart. Vorausgesetzt, ich konnte was damit anfangen.

Und das war mir noch nicht so recht klar.

11.

Keine Ferien für Nestor

Am nächsten Morgen stand ich um elf auf. Die Sonne knallte vom Himmel, daß es nur so eine Freude war. Nachdem Reboul und sein Informant gegangen waren, hatte ich mich wieder ins Bett gelegt. Meine Anweisung, von niemandem gestört zu werden, galt immer noch. Der Portier teilte mir mit, ein Monsieur Covet habe angerufen. Überraschte mich nicht. Auch Tony Charente hatte es versucht, vor kaum fünf Minuten. Ach ja, Tony Charente! Für den konnte ich nicht mehr viel tun. Florimond würde kaum davon abzuhalten sein, ihm ein paar indiskrete Fragen zu stellen. Ich rief den Kommissar am Quai des Orfèvres an.

„Was Neues?" fragte ich.

„Nichts Neues."

„Und mein Wagen?"

„Bleibt noch etwas bei uns."

„Haben die Fingerabdrücke was ergeben?"

„Wird noch untersucht."

Das war's. Danach ließ ich mich mit der Résidence Montferrier verbinden.

„Ah, Nestor Burma!" rief der Schauspieler. „Verdammt! Hab angerufen..."

„Weiß ich. Trifft sich gut. Ich wollte Sie auch sprechen."

„Kommen Sie, wann immer Sie wollen", sagte er und lachte. „Dann machen wir 'ne Dreierparty."

„Dreierparty?"

„Ihre Sekretärin ist schon hier bei mir."

„Hélène?"

„Nein, die hier heißt anders. Micheline."

„Ach … ach ja, natürlich. Bis gleich."

Für den Fall, daß Marc Covet mir in der Halle auflauerte, schlich ich mich durch einen Nebenausgang raus. In der Rue Chateaubriand lieh ich mir einen Wagen. Dann ging's Richtung Neuilly.

* * *

„Gut, daß Sie mir vorher gesagt hatten, wie offen Sie vorgehen", begrüßte mich Tony Charente vorwurfsvoll.

„Nur keine Aufregung", riet ich ihm. „Sie scheinen ja auf hundertachtzig zu sein."

„Wundert Sie das?"

„Nein. Wo ist meine Sekretärin?"

„Im Bungalow. Unberührt. Ich brauch nur zu pusten, und ihr fallen die Kleider vom Leib. Hab ich aber nicht gemacht. Der Trick war zu durchsichtig …"

Na schön! Ich hatte den Charmeur unterschätzt.

Wir gingen zum Bungalow. Micheline saß auf dem Sofa und spielte mit dem Köter des Schauspielers. Wenn sie ganz nackt gewesen wär, hätte man auch nicht mehr von ihren Brüsten sehen können.

„Guten Tag", sagte ich.

„Guten Tag, M'sieur."

„Würden Sie uns einen Augenblick alleine lassen? Sie können ja mit dem Köter am Swimming-pool spazierengehen und versuchen, ihn zu ertränken …"

Sie ging brav hinaus. Tony Charente kicherte in sich hinein.

„Also wirklich", sagte er. „Ganz schön raffiniert, dieser Nestor Burma! Ich dachte, das mit der Überwachung wär nur Bluff. Haben Sie selbst gesagt. Und dann schicken Sie mir eine Spionin ins Haus! Der klassische Trick. Nur daß die klassischen Spione im allgemeinen blond sind. Ihre ist dunkel."

„Absicht. Alles nur Tarnung. Und was meine Offenheit angeht: was hätte ich denn sagen sollen? Sie erzählen mir Ihr halbes Leben, verschweigen mir aber, daß Lucie Ponceau Ihre Geliebte war."

„Was geht Sie das denn an?"

„Einen Dreck. Aber wo Sie doch so schnell kapieren, kapieren Sie vielleicht auch das: die Flics schnüffeln in den Beziehungen von Lucie Ponceau rum..."

„Warum? War's denn kein Selbstmord?"

„Doch, aber etwas eigenartig. Also, sie werden auch bei Ihnen hier auftauchen, weil sie nämlich Ihr Foto gefunden haben. Und die Widmung läßt keinen Zweifel an der Art Ihrer Beziehung, damals..."

„Oh! Lang, lang ist's her."

„Lang oder nicht lang, das ist hier nicht die Frage. Die Flics wissen außerdem, daß Sie damals Drogen genommen haben. Zählen Sie doch mal zwei und zwei zusammen. Keine sehr schwere Aufgabe."

Wie vom Donner gerührt, ließ er sich aufs Sofa fallen.

„Scheiße!" fluchte er. „Himmel, Arsch und Zwirn! Verdammte Scheiße! Sollen sie doch kommen! Sollen sie mich doch einlochen! Montferrier kann ja zusehen, wie er ohne mich klarkommt. Wenn diese verrückte Falaise seinen Film retten muß, ist er in den Arsch gekniffen..."

Er rief noch zwei- oder dreimal Cambronne zur Hilfe. Kurz, es war alles eitel Sonnenschein.

„Lenken Sie nicht ab. Was hat Denise Falaise denn damit zu tun? Sie wollen mir doch nicht erzählen, daß sie auch in dem Film mitspielen soll?"

„Doch. Sie wissen doch sonst immer alles, hm? Man will sie mir als Partnerin aufhalsen. Sie hat Montferrier völlig in der Hand. Er hat sie sogar an die Côte d'Azur mitgenommen, als zusätzliches Gepäck. Vielleicht hab ich ja Glück, und das Flugzeug schmiert ab..."

„Ich dachte, sie wär bei Laumier unter Vertrag. Mit dem dreht sie übrigens im Moment..."

„Montferrier wird wohl die Strafe bezahlen. Wär nicht das erste Mal. Und Laumier wird froh sein, die Möpse zu kassieren. So blank, wie der ist! Und ich hab sie dann auf dem Hals. So eine Nervensäge! Neidisch, eingebildet und alles. Hält sich für 'ne große Künstlerin. Daß ich nicht lache! Große Künstlerin! Seit wann?"

„Immer schon."

„Ach ja? Hat man Ihnen das auch erzählt, Ihnen? Viel war bisher jedenfalls noch nicht zu merken."

„Kommen wir doch wieder auf Sie zurück", unterbrach ich sein Ablenkungsmanöver. „Mir ist immer noch schleierhaft, warum Sie mir Ihr Verhältnis zu Lucie Ponceau verheimlicht haben. Ist Ihnen das jetzt peinlich?"

„Ach was! Darauf kann man doch nur stolz sein. So eine Frau als Geliebte! Eine große Schauspielerin... Sie war nämlich tatsächlich eine."

„Also, warum dann das Versteckspiel?"

„Ich hatte doch gar keine Veranlassung, Ihnen das zu erzählen. Versetzen Sie sich doch in meine Lage: Lucie's Tod hat mir 'n ganz schönen Schlag versetzt. Aber ich wollte doch nicht da hineingezogen werden. Ist schon ewig her, daß wir uns Briefe und Fotos zurückgegeben haben. Anscheinend hab ich eins vergessen. Nein, mit ihrem Selbstmord hatte ich nichts mehr zu tun. Und das sollte auch so bleiben, eben wegen der geheimnisvollen Begleitumstände und dem Zusammenhang mit meinen früheren Gewohnheiten... die ich übrigens wieder annehmen werde. Scheint die einzige Möglichkeit zu sein, Montferrier zur Vernunft zu bringen."

„Durch Unvernunft, ja! Machen Sie bloß keinen Quatsch!"

„Sollte 'n Witz sein. Was zu trinken?"

„Da sag ich nicht nein."

Er ging zum Kühlschrank.

„Sollen wir Ihre Spionin zu einem Gläschen einladen?" fragte er.

„Das ist keine Spionin. Micheline gehört zu den Mädchen, die davon träumen, Schauspielerin zu werden. Um sich hier bei Ihnen einzuschleichen, hat sie meinen Namen mißbraucht. Sie dürfen ihr deshalb nicht böse sein, und wenn Sie mal was für die Kleine tun können... Dumm ist sie nämlich nicht..."

Der Star gab keine Antwort und goß uns ein.

„Wird überhaupt keinen Spion mehr hier geben", fuhr ich fort. „Ich geb Auftrag und Geld wieder zurück."

Ich konnte gar nicht anders, nachdem ich Faroux soviel gebeichtet hatte.

„Montferrier wird verrückt", freute sich Tony Charente. „Sieht mich schon Tag und Nach vollgestopft mit Drogen. Die Katastrophe ist nicht mehr aufzuhalten! Mit Ihrem Entschluß aufzuhören beginnt meine Rache, Monsieur Burma!"

„Sie können ihm wohl nicht verzeihen, daß Sie Denise Falaise das Stichwort geben sollen, hm? Wär das denn so schlimm?"

„Sie ist eine schreckliche Nervensäge. Und dann... wenn man mit ihr eine Szene dreht, in der sie sich auszieht, tritt man zwangsläufig in den Hintergrund. Um ihre männlichen Partner kümmert sich der Zuschauer einen Dreck. Ihr Körper beherrscht die Leinwand."

„Ach, so ist das? Zum Totlachen! Aber... zieht sich anscheinend immer seltener aus..."

„Wird erzählt. In ihrem letzten Film und in dem, den sie im Moment dreht. Wollte sich wohl auf die großen bekleideten Rollen vorbereiten, auf die sie so scharf ist... Auf Ihr Wohl, Burma. Und auf Ihren Entschluß! Wenn Montferrier das erfährt, wird er solche Angst um mich haben, daß er Denise Denise sein läßt. Und die kriegt dann ihre nächste Depression."

„Kriegt sie so was?"

„Hat sie schon gekriegt. Verletzte Eitelkeit. Das letzte Mal im Januar. Am 12., genauer gesagt. Kann mich noch gut dran erinnern. Am Abend vorher war *Diese Nacht gehört mir* gezeigt worden. Ein Triumph für Paulette Poitou, die vorher völlig unbekannt gewesen war. Und das einzig und allein aufgrund ihres Talents, ohne einen Millimeter Fleisch zu zeigen. Das konnte Denise natürlich nicht ertragen. Sie wurde krank.

Der Zusammenhang zwischen ihrer Depression und dem Erfolg von Paulette war so überdeutlich, daß Laumier den Fall totgeschwiegen hat. Wär ein gefundenes Fressen gewesen, aber solche Publicity ist gar nicht gut für alle Beteiligten. Also: kein Sterbenswörtchen. Denise hat sich irgendwo kurieren lassen, keiner weiß wo."

„Und danach hat sie *Mein Herz fliegt* gedreht?"

„Ja. Ein Flop. Aber wenn einen der Größenwahn gepackt hat... Und nun will diese dumme Ziege mit mir zusammen spielen, bei Montferrier. Wirklich zum Totlachen!"

„Dann tun Sie's doch. In der Zwischenzeit geb ich Mademoiselle Annie den Auftrag zurück. Und passen Sie gut auf Micheline auf!"

* * *

Vor der meergrünen Glastreppe parkte ein Cadillac. Ich sagte dem Albino, der mir die Tür öffnete, daß ich zu Mademoiselle Annie wollte. Sie habe gerade zu tun, wenn ich einen Moment warten wolle... Ich wartete in der dunklen, kühlen Eingangshalle. Nach zehn Minuten begleitete der Albino einen Mann mittleren Alters hinaus. Gut gekleidet, dick und fett, blaß im Gesicht. Sah nachdenklich aus, wie ein Geschäftsmann. Der Cadillac fuhr mit ihm davon. Eine Minute später stand mir Firmin zur Verfügung – oder ich ihm. Bei diesen Kerlen weiß man das nie so genau. Jedenfalls brachte er mich zu Montferriers Sekretärin. Mademoiselle Annie trug ein helles Kostüm, war sehr ansprechend geschminkt und rauchte mit einer fünfzehn Zentimeter langen Zigarettenspitze. Eine Mischung aus Pin-up-Girl und Sachbearbeiterin. Sie schien schlechtgelaunt.

„Guten Tag, Monsieur Burma", begrüßte sie mich etwas unfreundlich. „Wollen Sie Bericht erstatten?"

„Nein. Ich will das Ganze sein lassen. Würden Sie bitte Monsieur Montferrier ausrichten, daß ich ihm den gezahlten Betrag zurückerstatte? Und sagen Sie ihm bitte, er brauche sich keine Sorgen zu machen. Meiner Meinung nach wird Tony Charente keinen Unsinn anstellen."

„Keine weiteren Erklärungen?"

„Niemand kennt meine Möglichkeiten so gut wie ich."

„In Ordnung. Ich..." Ihr kam eine Idee. „... Monsieur Burma, was halten Sie davon, wenn ich Ihnen einen weiteren Scheck ausstelle?"

„Gar nichts. Nehme ich nicht an."

„Nicht wegen Tony Charente. Sie wissen, Monsieur Montferrier verläßt sich voll und ganz auf mich. Ich glaube, ich muß etwas unternehmen. Haben Sie den Mann gesehen, der eben das Haus verließ?"

„Ja."

„Adrien Froment. Geschäftsmann. Vertritt die Interessen – und vor allem seine eigenen, nehm ich an – von Monsieur Borel, der eine neue Aufnahmetechnik erfunden hat. Dreidimensional. Mehr sag ich nicht. Wir haben das Optionsrecht, aber ich trau diesem Froment nicht über den Weg. Manchmal verkaufen solche Leute dieselbe Sache gleichzeitig an mehrere Kunden. Aber bevor ich Monsieur Montferrier meinen Verdacht mitteile, möchte ich sicher sein. Wir haben die Option schon seit ein paar Monaten, rechtlich abgesichert. Die Erfindung gehört uns. Darauf basiert unser neuer Film. Wenn nötig, könnten wir einen Prozeß anstrengen und bestimmt auch gewinnen. Aber so was gibt immer Ärger. Nun will dieser Mensch uns anscheinend erpressen. Verlangt eine astronomische Summe, zu der wir nicht verpflichtet sind. Ich hab natürlich abgelehnt. Er hat durchblicken lassen, daß andere sich dafür interessieren könnten. Hat keinen Namen genannt, steht aber anscheinend mit jemandem in Verhandlung. Wollen Sie sich darum kümmern, Monsieur Burma? Wir brauchen die Namen der Produzenten, mit denen er Kontakt aufgenommen hat. Um sie zu warnen. Damit es keinen Ärger gibt."

Montferrier und seine Mannschaft taten einiges gegen die Arbeitslosigkeit. Ein Auftrag jagte den nächsten.

„Einverstanden", sagte ich nach kurzer Bedenkzeit.

„Wunderbar."

Sie schrieb einen Scheck aus und reichte ihn mir.

„Froment. Adrien Froment, wohnhaft Rue Jean-Goujon",
sagte sie. „Fährt einen schwarzen Cadillac, Kennzeichen 980-
BC-75."

„Glückwunsch, Mademoiselle. Ihnen entgeht nichts."

Sie lächelte. Ein richtiges Filmlächeln, breit wie ein Scheu-
nentor, strahlend wie 'ne Bombe.

„Wir haben schon so viel Kriminalfilme produziert", fügte
sie erklärend hinzu, als sie mich hinausbegleitete.

12.

Der böse Blick

Ich ging noch zu Tony Charente, um mich von ihm zu verabschieden. Er und Micheline saßen Seite an Seite auf dem Sofa und hörten Platten. Um so besser, wenn sie sich sympathisch waren! Ich stieg in meinen Leihwagen und fuhr zum Cosmopolitan zurück.

Vor dem Hotel sprang mir sofort ein schwarzer Cadillac ins Auge: Kennzeichen 980-BC-75. Im selben Augenblick kam Monsieur Froment über den Bürgersteig, noch nachdenklicher als vorher, setzte sich in seinen Wagen und fuhr los. Mir schoß ein Gedanke durch den Kopf: Vielleicht wollte er zu mir, um mich herausfinden zu lassen, welche Produzenten sich für Borels Erfindung interessieren könnten. Und dabei hatte ich den Auftrag, seine krummen Touren aufzudecken! Eine absurde Idee, aber bei diesen Leuten vom Film muß man auf alles gefaßt sein.

„Hat jemand nach mir verlangt?" fragte ich den Angestellten an der Rezeption.

„Nein, Monsieur."

„Ich dachte, der Herr, der soeben das Hotel verlassen hat... Hab ihn wohl verwechselt."

„Bestimmt, Monsieur."

Ich ging zum Aufzug. Nach der ersten Etage sagte der Liftboy zu mir:

„Privatdetektive haben immer einen Grund, wenn sie was fragen. Das ist in allen Büchern so."

„Sie lesen gute Bücher", erwiderte ich. „Und weiter?"

„Der Herr eben wollte zu Laumier, dem Geizhals. Interessiert Sie das?"

„Weiß ich nicht. Trotzdem vielen Dank."

„Keine Ursache. Aber Laumier war nicht da. Abgereist. Hat seine Wohnung nicht aufgegeben, wohnt aber seit gestern nicht mehr hier. Soll so aussehen, als käm er wieder. Laß mich aber nicht reinlegen. Dafür les ich zuviel. Der macht das nur, um sich ums Trinkgeld zu drücken. Schickt in den nächsten Tagen einen Scheck. Und für uns fällt nichts ab. Kein müder Sou. Wär nicht das erste Mal."

Wir waren in meiner Etage angekommen. So, so! Alle fuhren sie in Ferien, jeder auf seine Art. Denise im Privatflugzeug, Laumier irgendwie – wahrscheinlich hinter seinem treulosen Star her –, Rabastens mit eingeschlagenem Schädel, Monique im Kofferraum meines Wagens... und Adrien Froment wollte sich vorher noch das nötige Kleingeld verdienen. Aber wenn er meinte, er könnte Laumier auch nur ein Viertel von seinem Kram verkaufen, dann irrte er sich gewaltig. Oder Laumier war doch nicht so blank, wie erzählt wurde. Moment mal!... Wie war das noch? Hatte Laumier mir nicht was von dreidimensional erzählt? Das wurde ja immer absurder! Laumier versuchte also, Montferrier die Erfindung von Professor Borel abzujagen, und inzwischen schnappte Montferrier ihm Denise Falaise weg. Ein Drehbuchautor hätte daraus ein Lustspiel machen können.

Und Mademoiselle Annie hatte mir einen Scheck gegeben, damit ich die dunklen Absichten von Adrien Froment aufdeckte. Am besten, ich stattete ihm einen kleinen Besuch ab. Das würde die Dinge schnell klären.

* * *

Dieser Froment mußte unter seinen Vorfahren Aale gehabt haben. So glatt schlüpfte er einem durch die Finger. Wo ich auch auftauchte, machte er sich gerade aus dem Staub. Als ich vor seinem Haus in der Rue Jean-Goujon ankam – nicht weit von der Kapelle, die auf dem Platz des berühmten Bazar de la Charité steht –, klemmte er sich gerade wieder hinters Steuer seines Cadillac und gab Gas. Ich folgte ihm. Irgendwohin würde er mich schon lotsen. Er lotste mich nach Neuilly. Einen Moment dachte ich, er hätte Sehnsucht nach Mademoiselle Annie. Aber er fuhr durch die Avenue de Madrid und den Boulevard Richard-Wallace – der Mann der gleichnamigen Brunnen –, bog dann in den Bois de Boulogne ein, fuhr wieder raus. Himmel, Arsch und Wolkenbruch! Wenn der Kerl eine Fahrt ins Blaue machte, konnte ich ihm hinterherjagen, bis ich schwarz wurde. Endlich hielt er an einem hübschen kleinen Anwesen mit Garten in der Nähe der Porte de Bagatelle. Er stieg aus, klingelte an dem Gittertor. Wenig später wurden ihm beide Flügel geöffnet, und er und sein Cadillac verschwanden aus meinem Gesichtskreis.

Ich fuhr an dem Gittertor vorbei, parkte meinen Dugat etwas weiter weg und kam als einsamer Spaziergänger wieder zurück. An der Toreinfahrt stand auf einem Kupferschild: *Les Pins Parasols*. Tatsächlich sah man hinter dem Gittertor zwei Pinien. Aber nirgendwo stand der Name des Besitzers oder so was Ähnliches. Am Ende einer asphaltierten Allee erspähte ich eine elegante Villa. Davor stand Froments Cadillac. Kein menschliches Wesen in Sichtweite. Aus dem Bois de Boulogne flatterte ein Zitronenfalter bis zur Mitte des Boulevards, kehrte dann aber wieder, erschreckt durch Motorengeräusch, in seine Büsche zurück.

Plötzlich störten Gelächter und Mädchengekicher die feuchte Nachmittagsstille. Der Heiterkeitsausbruch kam aus der Nachbarschaft von *Les Pins Parasols*. Nahm ich jedenfalls an. Aber auch dort niemand in Sicht. Ich ging auf eine offene Baustelle zu. Ein Arbeiter setzte sich eine Rotweinflasche an den Hals und rührte Gips an. Immer abwechselnd. Ich sah ihm zu. Er unterbrach seine Arbeit und musterte mich ebenfalls. In der Nachbarschaft wurde wieder herzhaft gelacht.

„Denen geht's gut", sagte ich.

„Kapitalistenschweine", knurrte der Arbeiter.

„Kommunist, Alter?"

„Wär ja noch schöner. Jedenfalls nicht mehr, seitdem die da vom Film Mitglieder geworden sind."

„Sind die vom Film?"

„Weiß nicht. Aber da hinten die Frau dreht Filme. Denise Falaise. Hab sie nie gesehen. Liegt wohl grade wieder in der Sonne! Dann verrenken sich die andern immer den Hals und haben ihren Spaß. Sagen Sie mal, Sie wollen nicht zufällig auch aufs Gerüst und rüberschielen, hm? Vor 'n paar Tagen hab ich zwei Kerle runtergeschmissen. So was kotzt mich nämlich an! Nur so als Warnung für Sie..."

„Tugendhaft wie Robespierre", lachte ich.

„Hat damit überhaupt nichts zu tun", erwiderte er. „Betreten der Baustelle verboten!"

Hinter mir heulte ein Motor auf. Ich drehte mich um. Adrien Froment, der schlüpfrige Aal, wollte sich gerade wieder aus dem Staub machen. Ein anderer Mann stand beinahe auf dem Trittbrett, hielt sich an der Wagentür fest wie ein Besoffener an der Theke und sagte auf Wiedersehen: Laumier.

Der Cadillac fuhr in Richtung Seine. Laumier verschwand wieder in *Les Pins Parasols*. Ich setzte mich in meinen Wagen, der wie ein Glutofen aufgeheizt war, und brütete vor mich hin, zum Laufen weniger in der Lage als ein Camembert. Selbst die Fliegen waren lahm von der Hitze. In der Nachbarvilla, in der es so hoch herging, stießen die Mädchen immer noch spitze Schreie und schrilles Lachen aus. Wahrscheinlich wurden sie gekitzelt... Sieh mal an, Denise Falaise wohnte in *Les Pins Parasols*. Sie war mit Montferrier an die Côte d'Azur geflogen, und Laumier hatte sich inzwischen hier eingenistet. Vielleicht weil so eine Umgebung mehr Vertrauen einflößt – wenn man Geschäfte machen will! – als ein Hotelzimmer, auch eins der Luxusklasse. Wie scharfsinnig, Nestor Burma! Aus dir kann noch was werden, wenn dich unterwegs nicht die Schweine beißen. Würd mich nicht wundern, wenn du dir noch 'ne Hirnhautentzündung holst. Fahr ins Cosmopolitan zurück und trink was Kühles!

Ich wollte gerade starten, als eine Stimme neben mir sagte:

„Aber... das ist doch Monsieur Burma!... Welch eine Überraschung, Monsieur."

Allerdings. Auch für mich. Jean, Laumiers Mädchen für alles. Führte einen Köter Gassi. Ich hatte ihn gar nicht bemerkt. Die Situation mißfiel mir sehr. Ich quälte mir ein Lächeln ab.

„Sie kommen gerade richtig", sagte ich. ‚Ganz im Gegenteil', dachte ich. „Ich wollte zu Monsieur Laumier und fragte mich soeben, ob... Ist er zu sprechen?"

„Wahrscheinlich, Monsieur."

„Er ist aus dem Cosmopolitan abgereist..." Jean nickte zustimmend. „... und im Studio hab ich erfahren, daß er Drehpause hat." Erneutes Kopfnicken, zustimmend, verständnisvoll und alles. „Und ich... na ja, ich bin Detektiv..." Blödes Grinsen meinerseits. „... hab mir die Adresse hier besorgt... Ich wollte zu ihm, tja..."

Wieder verständnisvolles Kopfnicken, diesmal begleitet von einer Frage:

„Sicher, Monsieur. Lassen Sie Ihren Wagen hier, oder möchten Sie ihn in den Hof fahren?"

„Ich fahr ihn lieber rein."

„Dann werd ich Ihnen das Tor öffnen und Monsieur Laumier Ihren Besuch ankündigen."

Während ich mich aus der Affäre zog, arbeitete mein Gehirn auf Hochtouren. Ich hatte eine akzeptable Erklärung für meine Anwesenheit hier geliefert. Seinen Chef sehen. Prima. Aber was sollte ich Laumier gleich auftischen? Ich konnte doch unmöglich das dreidimensionale Thema anschneiden! Plötzlich schoß mir der rettende Gedanke durch den Kopf. In den Augen Laumiers würde ich zwar etwas dumm dastehen, aber was interessierten mich Laumiers Augen?

Und wozu konnten sie ihm heute schon nützen? So leer, wie sein Blick war, so verschleiert... Laumier brauchte eine ganze Weile, bis er mich gerade ansehen konnte. Der Produzenten-Regisseur hing schlaff in einem Sessel im hübsch eingerichteten *living-room*, Zigarre im Mundwinkel, die behaarte Hand gleich neben einem Tablett mit allem, was das Herz eines ausgewachsenen Katers höher schlagen läßt. Laumier hatte schon ziemlich einen sitzen, was nur noch schlimmer werden konnte.

„Wassiss?" schnauzte er. „Sie sind ein Freund von Montferrier... haben Sir mir gesagt. Hat er Sie geschickt?"

„Nein. Außerdem ist er nicht mein Freund. Ich kenne ihn, nur so, wie ich Sie kenne. Das ist alles."

„Dieses Schwein."

Er goß sich selbst was nach, ohne mich zu einem Schluck einzuladen.

„Möglich."

„Können Sie ihm ruhig sagen. Ich bestehe sogar darauf."

„Schreie und Gelächter drangen ins Zimmer.

„Jetzt hören Sie sich diese Idioten an!" schimpfte Laumier. „Besoffene Schweine! Wissen Sie, was die machen? Versuchen, über die Mauer zu gucken. Springen fast drüber, um Denise Falaise zu sehen! Da können sie aber lange suchen. Man hat mir Denise nämlich ausgespannt, jawohl! Scheiße, hören die denn nie auf?"

„Am besten, Sie zeigen sich", schlug ich ihm vor.

Er durchbohrte mich mit seinem düsteren Blick und spuckte eine Beleidigung aus. Kein Zweifel, sie galt mir. Eine prima Gelegenheit, sich zu verabschieden.

„Ich komm wieder, wenn Sie umgänglicher sind", sagte ich.

„Bleiben Sie", brüllte er. „Weshalb sind Sie überhaupt hier? Wenn Montferrier Sie nicht..."

Wieder stieß er wüste Beschimpfungen aus. Aha, so war das also... schön!

„Jetzt hören Sie mir mal gut zu", sagte ich ganz ruhig. „Es lohnt sich. Ich hab Sie belogen, vorgestern, Ich arbeite doch für Ihre Frau."

„Was?"

Vor Schreck ließ er alles fallen: Zigarre (aus dem Mund) und Glas (aus der Hand). Wie von der Tarantel gestochen sprang er auf. Ein Grimassen schneidendes Gespenst hätte keine größere Wirkung erzielen können.

„Tja", fuhr ich fort. „Aber man könnte sich arrangieren..."
Er starrte mich an, halbwegs nüchtern geworden.

„... wenn Sie verstehen, was ich damit meine."
„Scheiße! Kommt überhaupt nicht in die Tüte."
„Gut. Wenn das so ist, hab ich hier nichts mehr verloren."
„Moment!" schrie er.
Sein schräger Blick löste sich von dem Panoramafenster und fiel wieder auf mich.

„Jean!"
Sofort erschien sein Vertrauter.

„Noch eine Flasche. Ich glaub, Monsieur Burma..."
„Scheiße, kommt überhaupt nicht in die Tüte", zitierte ich Laumier. „Ihr Nein sei ein Nein. Ich verkauf keine Teppiche. Hab weder Zeit noch Lust, mit Ihnen zu feilschen."

Ich ließ mir die zweite Gelegenheit nicht entgehen, mich aus dieser haarigen und gleichzeitig lächerlichen Situation davonzustehlen. Fluchtartig verließ ich den *living-room*. Hinter mir hörte ich Laumier schallend lachen. Das Lachen eines Verrückten. Verrückt und besoffen. Wahrscheinlich stieß er mit der neuen Flasche an. Jean folgte mir schweigend bis zum Gittertor.

„Salut", verabschiedete ich mich.

Jean hielt mir das Tor auf und sah auf das Nachbargrundstück. Lachend, schreiend, kitzelnd drängten sich die jungen Leute auf der Terrasse gegenüber.

„Marie-Chantal und Konsorten", bemerkte er. „Müßiggänger, Schmarotzer, Voyeure."

Schon wieder ein Tugendapostel! Tugendhaft und puritanisch. Gottes Tierwelt ist groß, vor allem beim Film!

* * *

Ich fuhr nach Paris zurück. Vielleicht würde Adrien Froment mir nicht immer durch die Finger schlüpfen. Falls er nach Hause gefahren war ... Ich beschloß, mich in der Nähe seiner Wohnung aufzuhalten. Vorher aber rief ich noch aus einem Bistro die Résidence Montferrier an.

„Haben Sie schon was rausgekriegt?" Mademoiselle Annie verbarg ihre Bewunderung nicht. Gleich sechs Uhr. Erst vor drei, vier Stunden hatte sie mich auf Froment angesetzt. Da mußte sie ja den Eindruck haben, daß ich ein ganz Schneller war!

„Weiß noch nicht", antwortete ich. „War soeben bei Laumier, Chef von Denise Falaise. Der hat eine Stinkwut auf Montferrier."

„Ach! Sie wissen Bescheid?"

„Klar. Soll mich nicht wundern, wenn er Montferrier mit gleicher Münze heimzahlt. So wie der kocht ..."

Mademoiselle Annie lachte.

„Wirklich? Möchte wissen, wie er das machen will."

„Adrien Froment war gerade bei ihm."

Ich hatte das Gefühl, die Sekretärin aufspringen zu sehen.

„Was!" schrie sie überrascht. „Laumier ... unmöglich ... Der ist doch völlig blank!"

„Wird erzählt. Ich halt ihn eher für geizig. Das ist nicht dasselbe."

„Nein, nein! Er besitzt keinen Sou. Das wissen alle. Und so 'ne dicke Sache, vor allem wenn Monsieur Montferrier schon die Option besitzt, das geht in die Millionen!"

„Für seine Filme treibt er immer noch Geld auf ..."

„Das kann man nicht vergleichen ... Laumier! ..." Ich hörte deutlich, wie sie auf die Schreitischplatte trommelte. „... Er ist der letzte, an den ich gedacht hätte. Oder ...? Es gibt zwei Möglichkeiten, Monsieur Burma: entweder Laumier hat die Absicht, Froment reinzulegen – wär ziemlich komisch, für uns kaum gefährlich –, oder aber er ist der Strohmann einer Art Verschwörung. Ausgewählt, eben weil er blank ist und deshalb unverdächtig, uns Knüppel zwischen die Beine zu werfen. Versuchen Sie bitte, das rauszukriegen, Monsieur Burma."

„Werd mein Bestes geben, Mademoiselle. Was anderes...
Haben die beiden was zusammen, Laumier und Denise
Falaise?"

„Keine Ahnung. Möglich. Laumier hält sein Liebesleben
geheim."

„Ja, in dieser Hinsicht ist er ziemlich eigen."

Ich verließ die Telefonkabine und ging an die Theke, um das
bestellte Getränk zu trinken. Ja, ziemlich eigen, dieser Laumier. Hatte er wirklich Angst vor seiner Frau, oder war sie
ihm scheißegal? Seine Haltung ihr gegenüber schien sich
jeden Tag zu ändern. Ich hatte den Eindruck, daß seine Angst
gar nicht so schrecklich war und er sein Liebesleben auch
nicht sehr geheimhielt. Mit seiner Anwesenheit in der Villa
von Denise Falaise – wenn auch in ihrer Abwesenheit – lieferte
er seiner Frau schwerwiegende Argumente vor dem Gesetz.
Oder war die auch nicht in Paris? Es war Ferienzeit... Laumier... Laumier... mit seinem Namen ging es mir genauso
wie mit dem von Errico Melganno. Name oder Person hingen
für mich mit irgendeiner Kleinigkeit zusammen, flüchtig,
dunkel, halb vergessen... Merkwürdig! Ein todsicheres Mittel, Kopfschmerzen zu kriegen. Dabei brauchte mein Kopf
seit seiner Bekanntschaft mit Clovis dringend Schonung. Ich
versuchte abzuschalten und fuhr in die Rue Jean-Goujon.

* * *

Adrien Froment war zu Hause. Er wohnte im Erdgeschoß,
rechts neben einem baumbepflanzten Hof, der sich bis zur
Avenue Montaigne erstreckte. Das Haus sah aus wie ein ehemaliges Botschaftsgebäude, das jetzt in ein Mietshaus umgewandelt worden war. Eine Art Zugehfrau führte mich zu dem
Geschäftsmann in den Salon. Froment spielte mit meiner Visitenkarte, die ihm die Frau gegeben hatte. Er sah mich aufmerksam an, immer mit diesem nachdenklichen Blick, so als
grübelte er, grübelte und grübelte...

„Monsieur Burma?" fragte er.

„Ganz recht, Monsieur", bestätigte ich.

„Privatdetektiv?"

„Ja, Monsieur."

„Hab Ihren Namen in der Zeitung gelesen", tastete er sich behutsam vor.

„Möglich."

„Was verschafft mir die Ehre?"

„Ein Privatdetektiv, Monsieur, kümmert sich um die verschiedensten Dinge. Beschattungen, Auskünfte aller Art, Scheidungen ..."

„Ich bin nicht verheiratet", unterbrach er mich. „Und deswegen ..." Er sah auf seine teure Armbanduhr. „... Meine Zeit ist kostbar. Kommen Sie bitte zur Sache, Monsieur."

„... Scheidungen, Kontakte, Geschäfte, Verhandlungen", setzte ich meine Aufzählung fort. „Sie vertreten, glaube ich, die Interessen von Professor Borel, den Erfinder eines Verfahrens für den dreidimensionalen Film, nicht wahr?"

Seine Augen blitzten lebhaft auf.

„So ist es", sagte er wohlüberlegt.

„O.k.... Mich hat eine sehr finanzkräftige Gruppe damit beauftragt, wegen dieser Erfindung Vorgespräche mit Ihnen zu führen."

„Welche Gruppe?"

Die Eile, mit der er sich auf den Köder warf, machte mir sofort eins klar: er hatte bestimmt noch nicht mit Laumier abgeschlossen.

„Bitte, haben Sie Verständnis, daß ich den Namen der Herren im Moment noch nicht nennen kann. Ich möchte nur wissen, ob Sie bereit sind, unser Angebot zu prüfen."

„Nicht unter diesen Bedingungen", erwiderte er. Schon hatte er sich wieder unter Kontrolle. „Nicht bevor ich weiß, von wem Sie kommen."

„Im Augenblick bin ich zu äußerster Diskretion verpflichtet, mehr kann ich Ihnen nicht sagen."

„Dann entschuldigen Sie mich bitte. Kommen Sie wieder ... wenn Sie mir mehr sagen können."

„Gut. Ich versichere Ihnen: Sie verlieren nur, wenn Sie mir nicht weiter zuhören wollen."

Ich ging langsam zur Tür. Sehr langsam. Er sollte Gelegenheit haben, seine Meinung zu ändern. Er änderte sie. Begleitete mich hinaus, tat so, als wollte er mir die Wohnungstür öffnen, versperrte mir aber mit seinem Arm den Weg.

„Nur einen Namen", sagte er. „Damit ich eine Vorstellung habe."

Ich schüttelte den Kopf.

„Ich kann Ihnen wirklich keine Namen nennen. Aber ich kann Ihnen einen nennen, der nicht zu dieser Gruppe gehört: Laumier."

Er stutzte.

„Sieh mal einer an! Sie wissen also Bescheid?"

„Vollkommen. Legen wir die Karten auf den Tisch, Monsieur Froment. Wir wissen, daß Montferrier-Productions eine Option hat. Aber meine Gesellschaft ist mächtig genug, um über Montferrier zu lachen. Wir können mehr Geld lockermachen als er und vor ihm diesen Film produzieren. Mit einem möglichen Prozeß werden wir schon fertig. Und wir würden Sie bitten, ebenfalls mit Montferrier fertigzuwerden, sollte er sich an Sie wenden. Was nicht nur möglich ist, sondern ganz sicher."

Er lachte laut auf. Das Lachen eines wohlgenährten, selbstsicheren Gauners.

„Seien Sie unbesorgt", sagte er schließlich. „Ich werd mit jedem fertig. Das können Sie mir glauben. Auch mit möglichen Fallen, die mir gestellt werden... falls Sie das vorhaben sollten..."

„Aber ich würde Ihnen raten, Ihre Zeit, die ja so kostbar ist, nicht mit Laumier zu vergeuden", redete ich weiter auf ihn ein, so als hätte ich ihm nicht zugehört. „Laumier ist pleite. Er macht Ihnen was vor. Und in der Zwischenzeit verpassen Sie die besten Gelegenheiten. Ich bin sicher, er hat Ihnen ein gutes Angebot gemacht, aber den Betrag nicht gezahlt, als er fällig wurde. Der Film nämlich, den er im Moment dreht, kostet ihn so einiges. Und irgendwelche Gelder lassen auf sich warten. Deswegen braucht er einen Aufschub... dann noch einen und noch einen. Und Sie sind der Dumme."

So ein Geschäftsgebaren paßte zwar sehr gut zu Laumier, aber ich hatte das auf gut Glück gesagt. Froment schwieg. Nur sein Blick verriet mir, daß ich richtig getippt hatte. Nichts Sensationelles. Immerhin aber die Bestätigung meiner Vermutung, daß Laumier alleine gegen Montferrier arbeitete. Mademoiselle Annie's Chef hatte also nichts zu befürchten.

„Der Dumme", echote ich. „Denken Sie gut darüber nach."

„Gute Idee", stimmte mir der verschlagene Geschäftsmann lächelnd zu. „So oder so, die Rolle spiel ich höchst ungern. Ihr Auftreten gibt nämlich auch zu denken. Da werden Sie mir zustimmen. Also dann..."

Jetzt öffnete er mit tatsächlich die Tür. Zum Abschied sagte ich ihm noch, er könne mich im Cosmopolitan anrufen, wenn er mit dem Nachdenken fertig sei.

* * *

Vom Bistro Chez Francis an der Place de l'Alma aus rief ich wieder die Résidence Montferrier an. Mademoiselle Annie sollte nicht sagen können, sie kriege für ihr Geld nichts zu hören.

„Hab mit Froment gesprochen. Keine Gefahr im Anzug. Laumier und er werden bestimmt nicht zum Abschluß kommen. Laumier hat kein Geld und hält Froment hin. Außerdem operiert er alleine. Ich hab mich als Kontaktmann einer Gruppe ausgegeben, die Montferrier in die Quere kommen will. Schien interessiert, Froment, ist aber mißtrauisch. Völlig normal. Ich bleib mit ihm in Kontakt."

„Gut", sagte Mademoiselle Annie. „Aber behalten sie auch Laumier im Auge."

„Glaub nicht, daß er gefährlich werden könnte."

„Ich weiß nicht. Seit unserem letzten Gespräch hab ich über ihn nachgedacht. Dabei sind mir einige Dinge wieder eingefallen. Er hat den bösen Blick."

Ich widersprach nicht. Beim Theater und beim Film ist Aberglaube an der Tagesordnung. Ich dachte nur, besser wäre es dann gewesen, anstelle eines Privatdetektivs einen Exorzisten zu Rate zu ziehen.

„Wenn ein Konkurrent, ein Kollege mit entsprechendem Kapital, Monsieur Montferrier die Rechte an dieser neuen Erfindung abjagen wollte, auch mit unsauberen Methoden, das wär mir nicht so unangenehm, als wenn ich diesen Habenichts Laumier mitmischen seh."

„Wegen seines bösen Blicks?"

„Genau. Bitte, lachen Sie nicht darüber", fügte sie schroff hinzu.

„Ich lache doch gar nicht. Sie haben natürlich Beweise dafür?"

„Ich brauche keine Beweise. Ich verlaß mich auf mein Gefühl. Und darum finde ich es gar nicht gut, daß Monsieur Montferrier so vernarrt in diese Denise Falaise ist und Laumier die Kleine abspenstig machen will. Laumier hat schon mal versucht, uns zu schaden. Durch sein Verhalten wird Monsieur Montferrier sich ihn endgültig zum Feind machen. Dieser Laumier ist rachsüchtig und..."

„... hat den bösen Blick!"

„Lachen Sie nur. Ich hab gesagt, daß mir so einige Dinge wieder eingefallen sind. Haben Sie schon mal was von Pierre Lunel gehört?"

Sollte das immer so weitergehen mit dieser Phantasmagorie der Namen? Jedesmal, wenn ich einen hörte, sträubten sich alle meine Sinne, kam mein Verstand in Bewegung. Als würde sich hinter jedem Namen und der entsprechenden Person etwas Geheimnisvolles verbergen. Melganno... Laumier... und jetzt Pierre Lunel.

„Pierre Lunel? Flüchtig..." antwortete ich auf ihre Frage.

„Er war Schauspieler. Sie haben ihn bestimmt im Kino gesehen. Vor etwa zwei Jahren sollte er bei Laumier unterschreiben. Aber im letzten Augenblick hat Pierre Lunel sich bei einem anderen Produzenten verpflichtet. Laumier spuckte

Gift und Galle, schwor Rache. Pierre Lunel war drogenabhängig, trocken zwar, aber..."

„Ja, ja", unterbrach ich sie. „Montferrier hat mir die Geschichte erzählt. Jetzt fällt mir's wieder ein. Lunel ist wieder rückfällig geworden, und der begonnene Film konnte nicht beendet werden, oder nur schlecht, und alle sind auf die Schnauze gefallen."

„Genau."

„Und Sie meinen, daß Laumier..."

„... einen Beweis geliefert hat, was er mit seinem bösen Blick anrichten kann."

Mit seinem bösen Blick! So siehst du aus!

„Deswegen fände ich's besser, wenn Sie ihn weiterhin beobachten."

„Werd mein Bestes tun."

Als ich die Telefonkabine verließ, schwitzte ich wie ein Affe. Zurück im Cosmopolitan, fragte ich an der Rezeption nach, ob sie auch das Telefonverzeichnis der Filmschaffenden hätten. Sie hatten. Das Gegenteil hätte mich auch gewundert. Ich notierte mir Adresse und Telefonnummer von Jacques Dorly, dem jungen Regisseur, der Lucie Ponceau die letzte Chance gegeben hatte. Und schon hielt ich wieder den Hörer in der Hand. Ich bekam nicht Jacques Dorly, aber dafür einen Tip, wo ich ihn eventuell gegen 21 Uhr erwischen konnte: im Fouquet's. Da ich das Telefonbuch schon mal in der Hand hatte, sah ich nach, was unter Laumier stand. Nicht viel, jedenfalls nichts, was ich noch nicht wußte. Nur daß er zusätzlich zum Cosmopolitan und Les Pins Parasols – die dort nicht verzeichnet waren – noch einen dritten Wohnsitz hatte. Rue de Moscou. Wahrscheinlich der gemeinsame Haushalt mit seiner Frau, den er verlassen hatte. Ich beschloß, einen Blick zu riskieren. Keinen bösen. Nur um zu sehen, ob Madame Laumier eine Hexe war oder nicht.

Es wurde ein Reinfall. Die Fragen, mit denen ich der Concierge die Würmer aus der Nase ziehen wollte, konnte ich mir schenken. Die Laumiers hatten tatsächlich hier gewohnt, waren aber vor fast zwei Jahren ausgezogen.

„Sie haben nicht zufällig die neue Adresse?" fragte ich die Concierge.

„Ich hatte sie. Um die Post nachzusenden, verstehen Sie? Muß sie noch irgendwo haben... in dem Durcheinander... und das nach zwei Jahren..."

Ich steckte ihr einen Geldschein zu.

„Für den Fall, daß die Adresse sich wiederfindet... Mein Name ist Burma. Cosmopolitan-Hôtel, Champs-Elysées. Danke im voraus."

„Ich werd nachsehen, aber versprechen kann ich Ihnen nichts, Monsieur."

„Ich hab Zeit. Sagen Sie, wie war die Ehe so?"

„Wie alle Ehen."

„Nämlich?"

„Haben sich ständig angeschnauzt."

* * *

Die Terrasse des Fouquet's war voller Gäste, die vor ihren bunten Getränken die Abendsonne genossen. Ich schlängelte mich zwischen den Tischen hindurch, rempelte einige Größen der Siebten Kunst: Jacqueline Pierreux, Annette Poivre, Yves Deniaud usw. usw. Ein Kellner wies mir freundlicherweise den Weg zu Jacques Dorly. Der saß inmitten der Menschenmenge am äußersten Ende der Terrasse, hart an der Avenue George V. An seinem Tisch saßen zwei weitere Herren und Sophie Desmarets, die charmante Tochter des ehemaligen Direktors des *Vélodrome d'Hiver*. Sicher würzte sie das Gespräch mit einer ihrer schlagfertigen Antworten, für die sie bekannt war. An ihrem Tisch herrschte eine ausgelassene Stimmung.

„Entschuldigen Sie bitte, Monsieur Dorly", drängte ich mich auf.

Der Regisseur sah mich an.

„Wir sind uns schon mal begegnet", fügte ich hinzu.

Er amüsierte sich sehr viel weniger als die andern. Mit einem Schlag amüsierte er sich gar nicht mehr.

„Ich hab's nicht vergessen", seufzte er. „Was..."

„Könnte ich Sie einen Augenblick sprechen?"

Er stand auf, entschuldigte sich bei seinen Freunden und ging mit mir die paar Schritt zur Avenue.

„Ja?"

„Möchte Sie was fragen", begann ich. „Natürlich brauchen Sie nicht zu antworten. Ich bin kein Flic..."

„Hm... weil... die Flics..." Er runzelte die Stirn. „... Gibt's Probleme?"

„Keine großen. Also, meine Frage..."

„Schießen Sie los!"

„Mademoiselle Ponceau hatte schon seit Jahren keinen Film mehr gedreht, als Sie ihr eine Rolle gaben. Hatte sie auch noch andere Angebote, bevor sie für *Brot für die Vögel* unterschrieb? Von anderen Produzenten?"

„Niemand hat an Lucie gedacht. Ich war der einzige, der ihr zu einem Comeback verhelfen wollte."

„Sind Sie sicher?"

„Absolut sicher."

„Gut. Also, Sie haben dann diesen Film gedreht. Und schon während der Dreharbeiten hat sich rumgesprochen, daß Ihr Star eine beachtliche Leistung bot, nicht wahr?"

„Ja."

„Haben da nicht schon andere Produzenten versucht, sie für weitere Filme zu verpflichten?"

„Doch, ja."

„Wissen Sie, wer?"

„Ich weiß nicht, ob..."

„Ich krieg die Namen sowieso raus, Monsieur."

„Hm... Zwei Produzenten haben angefragt: Chaunel und Rouget. Aber Lucie hat abgelehnt, und sie haben's aufgegeben."

„Zwei?"

„Ja."

„Nur Chaunel und Rouget?"

„Ja."

„Nicht noch andere? Denken Sie gut nach, Monsieur Dorly."

„Das brauche ich gar nicht. Immerhin bin ich besser informiert als Sie, oder?"

„Zweifellos. Aber... Wissen Sie, ich meine verstanden zu haben, daß auch Monsieur Laumier... Henri Laumier..."

„Laumier?" Er lachte schallend. „Wo, zum Teufel, haben Sie denn das her?"

Überrascht sah er mich mit seinen großen Augen an, als wollte er sagen: ‚Na ja, mein Lieber, als Detektiv... Wenn wir in unseren Filmen keine besseren hätten, würde man uns was anderes erzählen!' Laut sagte er:

„Laumier hat sich nie für Lucie interessiert. Hätte auch gar nichts mit so einer Künstlerin anfangen können."

„Und Sie sind ganz sicher?"

„Absolut sicher", bekräftigte Dorly nochmal.

„Dann entschuldigen Sie bitte, daß ich Sie belästigt habe."

Wir gaben uns die Hand. Er ging zu seinen Freunden zurück. Ich schlenderte noch ein wenig die Avenue entlang.

Tony Charente, ein ehemaliger Drogenabhängiger, der offensichtlich keine Lust hat, wieder einer zu werden... Lucie Ponceau, die nie Rauschgift genommen hat, sich aber mit Opium umbringt... Pierre Lunel, der wieder rückfällig wird und alles durcheinanderbringt... Und was war mit dem Kerl, den Montferrier erwähnt hatte,... Äh... Raymond Morgues. Ja, so hieß der.

Ich ging in das erstbeste Bistro. Ganz demokratisch. Wieder ans Telefon. Vielleicht meldete sich Mademoiselle Annie... Sie meldete sich.

„Ich bin's schon wieder", sagte ich. „Kann Ihnen noch nichts Neues berichten. Dafür will ich Sie aber was fragen. Monsieur Montferrier hat den Namen Raymond Morgues erwähnt. War auch vom Rauschgift runter, wurde dann aber wieder rückfällig. Deswegen ist der Film, den er gerade drehte, den Bach runtergegangen. Wissen Sie zufällig, ob dieser Morgues irgendwann mal mit Laumier in Verhandlung stand?"

„Nein", sagte Mademoiselle Annie. „Aber ich könnte mich erkundigen."

„Tun Sie's bitte, ja?"

„Sofort morgen früh. Ist es wichtig?"

„Weiß ich noch nicht. Ich wollte's nur wissen."

„Wenn Raymond Morgues mit Laumier in Verhandlung stand", sagte sie langsam, „und wenn er Laumier zugunsten eines anderen Produzenten fallengelassen hat... und wenn er danach wieder rauschgiftabhängig wurde..."

„So was in der Richtung, ja."

„Und wenn das so wäre? Glauben Sie dann endlich an den bösen Blick?" fragte sie triumphierend.

„Na ja... äh... genau dann eben nicht, Mademoiselle. Verstehen Sie? Dann werd ich an ganz was anderes glauben, aber nicht an den bösen Blick. Daran bestimmt nicht."

Ich legte auf.

13.

Über alle Berge

Im Cosmopolitan ließ ich mir eine Kleinigkeit zu essen aufs Zimmer bringen. Danach legte ich mich ins Bett. Was Besseres fiel mir im Moment nicht ein. Ich nahm ein Buch und stopfte mir eine Pfeife. Die Romanheldin verspürte alle drei Seiten das dringende Bedürfnis sich auszuziehen. Als sie wieder mal dabei war, sich die Bluse aufzuknöpfen, nickte ich ein. Ich hatte einen sehr aufregenden Traum. Das Telefon rief mich zu Sitte und Anstand zurück.

„Guten Abend, Monsieur Burma. Ich . . ." Adrien Froment.

„Oh, guten Abend!" sagte ich. „Haben Sie nachgedacht?"

„Na ja . . . hab mir gedacht, eine kleine Unterhaltung . . ."

Verlegen schwieg er, so als bedaure er irgendwas.

„Sind Sie zu Hause?" fragte ich ihn. „Ich könnte schnell mal rüberkommen."

Er seufzte.

„Wie Sie wollen."

Er legte auf. Ich zog mich wieder an. Dieser Adrien Froment schien ziemlich kopflos. Das Geschäft mit Laumier war nicht zustande gekommen. Aber er brauchte wohl dringend Geld, und deshalb wurde er unvorsichtig. Wo er doch sonst so schlau war, mit allen Wassern gewaschen. Also war's besser, Laumiers Nachfolge anzutreten und ihn so lange hinzuhalten, bis Montferrier unterrichtet war und sich weitere Schritte überlegen konnte. Ich holte meinen Leihwagen aus der Garage und fuhr durch die Avenue George V in die Rue Jean-Goujon.

Es erwischte mich an der Place de l'Alma. Auf der Straße war nicht viel los. Ein dicker Wagen kam auf mich zugerast, blendete kurz auf, um in der nächsten Sekunde das Scheinwerferlicht ganz auszuschalten. Sah nach böser Absicht aus. Ich riß das Steuer herum. Nun ist die Place de l'Alma schon seit Jahren eine einzige Baustelle. Und schon seit Jahren fluche ich, wenn ich hier vorbeifahren muß. Auch jetzt hatte ich allen Grund dazu. Um dem Verrückten auszuweichen, der meinen Wagen und mich offensichtlich zu Schrott fahren wollte, durchbrach ich einen Absperrzaun, die Warnleuchten flogen durch die Luft, Glas splitterte, und ich landete samt Wagen in einem widerlich feuchten Loch. Ich meinte auch noch einen Schuß gehört zu haben, war mir aber nicht sicher. Seit der Begegnung mit Knüppel-aus-dem-Sack Clovis spukte so einiges in meinem Kopf herum.

* * *

„Noch mal Schwein gehabt, hm?" sagte ein Kerl, Typ Baustellenwärter, der in das Loch geklettert war und jetzt durch die Wagentür sah. Seine treffende Bemerkung galt auch mehr oder weniger dem Wagen. Aber es war höchst fraglich, ob mir die Leihfirma einen weiteren anvertrauen würde. Der Wagen steckte mit der Schnauze in einem Schutthaufen. Um ein Haar wäre er von einem Eisenträger aufgespießt worden – und ich auch. Dieses Glück verdankte ich dem Verrückten, der mich bei seinem unchristlichen Vorhaben angetickt und meine Richtung leicht verändert hatte. Nur die Windschutzscheibe und ein Kotflügel waren zum Teufel. Ich war glücklicherweise durch den Aufprall auf den Boden geschleudert worden, sonst hätte mein Brustkorb Bekanntschaft mit dem Lenkrad bemacht. Ich hatte mir nur ein wenig den Kopf gestoßen, aber mein Kopf... der ist an so was gewöhnt. Die Wagentür ließ sich mühelos öffnen; ich stieg aus. Um das Loch herum stand ein halbes Dutzend Neugieriger und starrte mich an, enttäuscht, daß ich den Aufprall unverletzt überstanden hatte. Mit Hilfe des Baustellenwärters kletterte ich aus dem Loch.

„Ganz schöner Purzelbaum!" bemerkte jemand.

„Kann man wohl sagen" stimmte ich zu. „haben Sie was gesehen?"

„Sie sind gerammt worden."

„Von wem?"

„Von einem dicken Schlitten?"

„Cadillac?"

„Kann ich nicht sagen."

„Haben Sie die Polizei alarmiert?"

„Schon unterwegs."

Man hörte die Polizeisirene.

„Bin gleich wieder da", rief ich den Gaffern zu und nahm meine Beine in die Hand. Ich rannte um die Place de la Reine-Astrid herum in die Rue Jean-Goujon. Bei Monsieur Froment öffnete mir die Zugehfrau.

„Ich möchte zu Ihrem Chef", sagte ich.

„Er ist weggegangen, Monsieur."

„Wann?"

„Eben erst."

„Hat er den Wagen genommen?"

„Monsieur Froment nimmt immer den Wagen, Monsieur."

„Wissen Sie, wohin er gefahren ist?"

„Nein, Monsieur."

Ich ging zur Place de l'Alma zurück. Es waren noch einige Schaulustige hinzugekommen, außerdem standen jetzt vier oder fünf Flics bei ihnen.

„Da ist er", sagte der Wächter.

„Woher kommen Sie?" fragte mich einer der Ordnungshüter.

„Hab ein paar Schritte gemacht, um meine Gedanken wieder klarzukriegen."

„Hm ... Kommt mir ziemlich spanisch vor. Am besten, wir gehen erst mal auf die Wache."

Sie schoben mich in ihren Wagen und fuhren mit mir in die Rue Clément-Marot. Dort gingen mir die phantasiebegabten Nervensägen so lange auf den Wecker, daß ich nur noch ein Mittel sah, mich aus ihren Klauen zu befreien: Florimond Faroux.

„Lassen Sie mich den Kommissar anrufen", bat ich. „Bei der Kripo oder zu Hause."

„Das können wir selbst", erwiderte einer meiner Peiniger.

Kurz darauf kam er zurück, übers ganze Gesicht grinsend.

„Paßt ja prima! Kommissar Faroux wollte gerade mit Ihnen sprechen."

Er nahm meinen Arm, aus Angst, ich könnte wegfliegen. Dabei war's überhaupt nicht windig.

* * *

„Was soll das?" knurrte Florimond Faroux und drehte sich eine Zigarette. „Haben Sie wieder Ärger mit Ihrem Wagen? Sie und Ihre Autos…"

Er zündete sich die Zigarette an. Der Rauch verfing sich im Lampenschirm und verteilte sich dann an der Decke. Faroux seufzte. Der grüne Lampenschirm gab dem müden Gesicht des Kommissars ein ungesundes Aussehen.

„Tja, Sie und Ihre Autos! Ein Unfall?"

„Verplempern wir unsere Zeit nicht mit Drumherumreden", sagte ich. „Das war ein Attentat. In Filmkreisen macht man sich leicht Feinde."

„Fangen Sie nicht wieder mit Ihren Filmkreisen an! Wenn das wenigstens nur Filme wären! Haben Sie einen Verdacht?"

„Nicht den geringsten."

„Gut. Wie Sie wollen. Wir werden sowieso zusammen ans Ziel kommen. Wie immer. Also… Sagen Sie mal, apropos Film und Autos. Ihr eigenes Auto ist ein richtiges Filmauto, wie 'ne Wundertüte. An jeder Ecke 'ne Überraschung. Wir haben die Fingerabdrücke untersucht. Außer zwei Serien – eine davon kam nur selten vor – sind uns keine bekannt. Kein ehemaliges Mitglied der Venturi-Bande zum Beispiel, aber vielleicht hat er seine Leute ausgetauscht. Bleiben die beiden bekannten Serien. Die erste gehört einem kleinen Gauner, einer halben Portion. Marcel Pommier, ein armer Hund. So gut wie eingelocht. Bei dem andern, der mit den seltenen Fingerabdrücken, wird das schon schwieriger. Der ist nicht von gestern, arbeitet mit Handschuhen. Aber Sie wissen ja, wenn es so heiß ist wie im Moment, man schwitzt, und dann mit Handschuhen..."

Faroux holte Luft.

„... Der Fingerabdruck ist etwas schwach", fuhr er fort, „scheint aber der richtige zu sein. Wenn wir den Kerl schnappen, dann dank Ihrer Angewohnheit, sich in Dinge zu mischen, die Sie nichts angehen. Deshalb kann ich Ihnen auch nicht so richtig böse sein."

Er schien ganz verzückt, sah an die Decke, faltete die Hände über seinem Buch.

„Wenn man Sie so hört", sagte ich, „könnte man meinen, Sie reden von Adolf Hitler. Ich dachte, der ist tot."

„Das dachten wir von dem hier auch. Aber anscheinend läuft dieser Blanchard immer noch auf unserer Erde rum."

„Aha!" sagte ich und pfiff durch die Zähne. „Jérôme Blanchard, hm?"

„Ja. Kennen Sie ihn?"

„Hab so meine Informationen..."

Und ich erzählte ihm, was ich von dem gepellten Ei Riton gehört hatte.

„Genauso ist das gelaufen", sagte Faroux nickend. „Ein zäher Bursche, dieser Blanchard. Wird durch Interpol gesucht. Hier, seine Karteikarte..."

Er wühlte in Bergen von Papier, fand aber nichts.

„Werd mal bei Fabre nachsehen..."

Der Kommissar ging ins Nebenzimmer und ließ mich mit meiner Pfeife alleine. Plötzlich hatte ich das Gefühl, wegen etwas anderem hier zu sein als wegen Blanchard, Interpol oder meinem „Unfall". Ich war hier wegen... Was für ein krauses Zeug! Kein Zweifel. Mein Schädel war undicht. Das Klingeln des Telefons zerriß die Stille der Nacht. Faroux nahm im Nebenzimmer den Hörer ab, hörte zu, fluchte, legte wieder auf. Ich versuchte verzweifelt, meine Gedanken zu sortieren.

Der Kommissar kam wie ein Wirbelwind herein und blies das Irrlicht hinter meiner gerunzelten Stirn aus. Auch Faroux' Stirn war gerunzelt. Er ließ sich auf seinen Stuhl fallen und fluchte erst mal ausgiebig.

„Fabre muß Blanchards Karte mitgenommen haben. Werd Ihnen morgen sein Foto zeigen. Aber ich glaub nicht, daß Sie dem Burschen jemals begegnen werden."

„Fazit?"

„Fazit? Lucie Ponceau ist tot, und über Tote redet man nicht schlecht. Aber je mehr ich überlege, desto mehr bin ich davon überzeugt, daß sie mit den Verbrechern in Verbindung stand, die uns seit ein paar Tagen immer wieder beschäftigen: Venturi, Melganno, Blanchard. Ihr Selbstmord hatte Folgen, die wir im Moment noch nicht übersehen können."

„Melganno", warf ich ein. „Noch einer, den ich vom Namen her kenne. An der Grenze verhaftet, hm?"

„Ja", gab Faroux ungern zu.

„An Ihrer Stelle würde ich mich um diesen Italiener kümmern. Der Drogenhandel schien in letzter Zeit etwas eingeschlafen zu sein. Wacht aber allmählich wieder auf, hm? Blanchard erscheint wieder auf der Bildfläche; Venturi, angeblich aus dem Geschäft ausgestiegen, macht sich wie ein Dieb aus dem Staub; Melganno macht eine kleine Tour de France . . . um den würd ich mich ganz besonders kümmern. Vielleicht hat er sich mit Blanchard getroffen, und durch ihn . . ."

„Gute Idee", lachte der Kommissar gequält. „Sie haben gute Ideen. Ich hab gute Ideen. Wir haben alle gute Ideen. Leider auch die andern. An Melganno hab ich auch schon gedacht, mein Lieber. Hab mit Lyon telefoniert. Dort war Melganno eingesperrt. Ist ausgebrochen. Dabei hat's 'ne Schießerei gegeben. Einzelheiten folgen. Kann ich aber gut drauf verzichten!"

14.

Der Tag bricht an

Müde und schlechtgelaunt kehrte ich ins Cosmopolitan zurück. Ich hatte das Gefühl, irgendwas Wichtiges am Quai des Orfèvres vergessen zu haben: eine Frage zu stellen oder mehr in Einzelheiten zu gehen. Ich gab der Rezeption Anweisung, mich nicht vor Mittag zu wecken, unter gar keinen Umständen. Dann legte ich mich schlafen. Ich weiß nicht, ob das ganze Durcheinander Grace Standford gefallen hätte. Sie war ein sehr ruhiger Star.

* * *

Um viertel nach zwölf ließ sich Marc Covet bei mir melden.

„Lange nicht gesehen", begrüßte er mich.

„Kann man sagen."

„Ich nehm an, Sie haben in der Zwischenzeit einiges erlebt?"

„Kann man sagen."

Ich erzählte ihm, was ich erlebt hatte. Kaum war ich damit fertig, da klingelte das Telefon. Mademoiselle Annie, Montferriers energiegeladene Sekretärin.

„Ich hab Auskünfte über Raymond Morgues", sagte sie. „Laumier hatte ihn nie in seinem Stall. Auch ist nie die Rede davon gewesen, gemeinsam zu arbeiten. Die beiden haben sich nie kennengelernt. Ich werd wohl meine Ansicht über den bösen Blick überdenken müssen", fügte sie als gute Verliererin lachend hinzu.

„Vielleicht, ja. Vielen Dank für Ihre Bemühungen. Oh! Warten Sie... Die Produktionsfirma, mit der Morgues gearbeitet hat, als er wieder rückfällig wurde … hatte die vielleicht Streit mit Laumier?"

„Ach, wissen Sie … Laumier hat immer irgendwelchen Streit mit irgendwem."

„Aha. Na ja, nochmals vielen Dank. Werd heute wahrscheinlich Monsieur Froment wiedersehn. Ich sag Ihnen Bescheid."

„Was gibt's denn?" fragte Marc Covet neugierig, als ich aufgelegt hatte.

„Kino verpflichtet. Ich fang auch schon mit Überblendungen an … Was guckt denn da aus Ihrer Tasche?"

„Die neueste des *Crépu*."

„Mit Bericht über Melgannos Ausbruch?"

„Lang und breit."

Ich zog ihm die Ausgabe aus der Tasche. Der Rauschgifthändler war geflohen, als er von einem Untersuchungsgefängnis in ein andres verlegt werden sollte. Die Grüne Minna war von motorisierten Gangstern überfallen worden. Zwei Tote hatte es gegeben, aber nur einer wurde beklagt: ein Ordnungshüter namens Lavérune. Der andere war einer von Melgannos Komplizen und hatte keinen Namen. Hatte weder Papiere bei sich noch ein Zeichen in der Wäsche. Wahrscheinlich ein Vorbestrafter, den die Polizei bald identifizieren würde. Melganno war in dem Überfallwagen geflüchtet. Alle Fahndungen waren bisher ergebnislos verlaufen …

Das hatte ich schon alles aus dem Mund meines Freundes Florimond Faroux erfahren. Ich kannte nur noch nicht das Gesicht des toten Banditen. Im *Crépuscule* sah ich sein Foto. Jung, die schmalen Lippen durch den Tod noch schmaler, die leblosen Augen starr, leicht vorstehend, aber nicht mehr so wie bei einer Kuh. Monsieur Clovis würde nicht mehr auf wertvollen Köpfen von Privatdetektiven rumschlagen.

Das Telefon brachte sich wieder in Erinnerung.

„Monsieur Burma?" fragte eine unbekannte Stimme.

„Ja."

„Madame Michon hier. Erinnern Sie sich? Die Concierge aus der Rue de Moscou."

„Ach ja! Ja?"

„Hab die neue Adresse von Monsieur und Madame Laumier gefunden. Boulevard Malesherbes 78 *bis*. Hab auch die Telefonnummer und die der Concierge. Ein tolles Haus, wenn die Concierge Telefon hat. Ziemlich praktisch. Also: MADeleine 12-34 und MADeleine 56-21."

„Vielen Dank, Madame Michon." Ich legte auf. „MADeleine 56-21 ... werd mal die Concierge fragen, ob Mutter Laumier zur Zeit in Paris rumläuft."

Ich ließ mich verbinden. Die junge Stimme der noblen Concierge teilte mir mit, Madame Laumier sei zwischen dem 10. und 15. Januar ins Ausland gereist. Aha. Deswegen brauchte Laumier auch keine Angst vor seinem Drachen zu haben. Sie war im Ausland.

„Zwischen dem 10. und 15. Januar", murmelte ich. „Oh! Verdammt! 15. Januar!"

„Ja und?" fragte Covet. „War da was Besonderes?"

„Ja. Großer Gott! Covet, ich brauch unbedingt einen extrastarken Drink. Hier gibt's zwar alles, ich brauch aber mindestens einen Liter. Holen Sie mir was aus dem Schnapsladen in der Rue de Berri, am besten Nitroglyzerin."

Solche Aufträge erledigt der Schnaps-Journalist mit dem größten Vergnügen. Sofort sprang er auf und ging zur Korridortür. Im Türrahmen drehte er sich nochmal zu mir um.

„Sie sind ja ganz aus dem Häuschen", sagte er lächelnd. „Wegen dem 15. Januar oder wegen Melganno?"

Ich stieß eine Art Wolfsgeheul aus.

„He!" rief Covet. „Was ist denn los?"

„Ich steh kurz vor der Niederkunft ... Sagen Sie's nochmal. Sagen Sie's!"

„Was soll ich nochmal sagen?" fragte Covet verständnislos.

„Melganno! ... Mechano! ... Bewegen Sie sich nicht, Covet! ... Ich sehe Sie ... sehe Sie ..." Ich streckte meine Arme nach ihm aus, so als wollte ich zum Handauflegen schreiten.

„... Sie haben ein hübsches Gesicht, etwas dumm, aber hübsch. Rote Lippen, lange schwarze Wimpern. Eine tiefausgeschnittene Bluse, eine prächtige kastanienbraune Mähne... Und was bleibt von dem Ganzen?... Nichts!"

„Hab ich ja nochmal Glück gehabt", lachte Covet. „Wenn Ihre Vision noch etwas angedauert hätte..."

„Nichts! Jedenfalls nur ganz wenig. Fünfzig Kilo kaltes Fleisch in der Morgue... Holen Sie jetzt endlich die Literflasche. Nein. Besser zwei Liter. Nein. Ich geh mit. Muß zu den Flics."

Jetzt wußte ich endlich, was ich bei den Flics wollte. Die Kleinigkeit überprüfen, die mir durch den Kopf geschossen war, noch als Knüppel-aus-dem-Sack ihn bearbeitet hatte, und die mich seitdem die ganze Zeit verfolgte und quälte.

* * *

Kommissar Faroux war nicht in seinem Büro. Inspektor Fabre holte ohne viel Umstände das vor sich hin staubende Kleiderpaket der armen Monique aus dem Regal. Wieder krampfte sich mir das Herz zusammen, als ich die Kleidungsstücke des unvorsichtigen Starlets sah.

„Eine Idee?" fragte der Inspektor.

„Ja. Nur 'ne Idee. Vielen Dank..."

Draußen sagte ich zu Covet:

„Sie können Ihre Bleistifte spitzen, Alter. Aber erst muß ich noch 'ne Kleinigkeit erledigen, in der Rue Jean-Goujon."

* * *

Marc Covet wartete in einem Bistro an der Place de l'Alma auf mich. Ich rückte Adrien Froment auf die Bude. Bevor mich seine Privatconcierge bei ihm meldete, forderte ich sie auf, mit mir in die Garage zu gehen.

„In die Garage?"

„Ja. Ich will mir den Cadillac ansehen."

„Aber…"

„Wenn ich ihn mir nicht ansehen kann, werden's die Flics tun."

„Polizei… Na schön…"

Sie ging mit mir in den Hof zur Garage. Der Cadillac (Kennzeichen 980-BC-75) glänzte wie ein neuer Sou. Nirgendwo die Spuren eines Unfalls. Hatte ich mir fast gedacht. Aber: Vertrauen ist gut, Kontrolle ist besser. Drei Minuten später begrüßte ich den Wagenhalter.

„Hab mich etwas verspätet", entschuldigte ich mich. „Wir hatten uns für heute nacht verabredet."

„Hm…" knurrte Froment nickend. „Und da heute nicht heute nacht ist…"

„Eben. Deswegen geh ich auch gleich wieder. Aber eins müssen Sie wissen: Versuchen Sie nicht, Montferrier übers Ohr zu hauen. Ich arbeite nicht für eine Gesellschaft, sondern für Montferrier. Also, schön brav sein! Sonst bring ich Sie hinter schwedische Gardinen. Und zwar ganz schnell. Brauch nur die Flics zu rufen."

„Sie Witzbold. Sie machen mir Spaß."

„Ja, wir zwei sind schon ein lustiges Paar."

„Die Flics rufen! Zu wem? Reden Sie kein Blech, Burma."

„Das ist kein Blech."

„Die Flics können mich nicht einsperren."

„Doch, alter Freund."

„Und weswegen, wenn ich fragen darf?"

„Ich werd denen einen Grund liefern. Gestern nacht haben Sie mich im Cosmopolitan angerufen, um mich zu Ihnen zu bestellen. Kaum liegt Ihr Hörer auf der Gabel, fahren Sie mit Ihrem Superschlitten weg. Ich fahr hierher. Sie lauern mir auf und schicken mich in eine Baugrube an der Place de l'Alma, Sie Asphaltcowboy!"

„Aber das stimmt doch nicht!"

„Weiß ich. Der Unfall oder, besser gesagt, das Attentat hat sich tatsächlich ereignet. Aber Sie haben nichts damit zu tun. Womit Sie was zu tun haben, will ich Ihnen wohl sagen: Sie brauchen Geld. Mit Laumier können Sie nicht rechnen, also ran an Burma und seine geheimnisvolle Gruppe mit dem Haufen Geld. Aber mitten im Telefongespräch ändern Sie Ihre Meinung. Ihr Mißtrauen gewinnt wieder die Oberhand, verdrängt Ihre Spontaneität. Sie lassen mich zwar kommen, haun aber ab, um mir nicht zu begegnen. Nur ärgerlich, daß dieses Attentat dazwischenkommt. Sie sind kein Mörder, aber die Umstände sprechen gegen Sie. Ich hab mich davon auch zuerst täuschen lassen."

„Aber dann haben Sie doch gemerkt, daß das nicht stimmt?"

Wie er so vor mir saß, schwitzend und schnaufend, erinnerte er mich an Laumier, nur nicht ganz so häßlich.

„Ja, aber ich muß es ja keinem weitererzählen."

„Ich hab ein Alibi."

„Ja, ja. Halten Sie Ruhe, bis Sie mit Montferrier gesprochen haben. Dann werden Sie sich schon mit ihm einigen. Ist wirklich besser. Und schlauer. Wenn Sie etwas geschickt sind, können Sie ihm noch eine oder zwei Millionen zusätzlich abknöpfen. Na, geb ich keine guten Ratschläge?"

„Ja, ja", imitierte er mich. „Tja, anständige Leute wissen nichts von ihrem Glück!"

„Also: schön brav bleiben. O.k.?"

„O.k."

„Gut. Und Laumier? Völlig am Ende?"

„Völlig."

„Wann wollten Sie mit ihm abschließen?"

„In den letzten Tagen. Hat den Betrag aber nicht überwiesen. Gestern wollte er mich noch weiter hinhalten. Aber das haben Sie mir ja alles schon erzählt."

„War nur 'ne Annahme. Schön, daß Sie's bestätigen."

„Also wirklich! Sie sind ganz schön ausgekocht!"

„Ich schlage das Geheimnis k.o., mehr nicht. Tagelang treibe ich mich auf der Straße rum, und dann: zackbumm! Irgendwann, keiner weiß warum, funkt's bei mir im Kopf. Normalerweise, wenn ich was draufgekriegt hab. Manche

Detektive funktionieren mit Alkohol oder Tabak. Ich brauch Knüppelschläge. Auf Wiedersehn, Monsieur."

Ich ließ ihn völlig verdutzt stehen und ging zurück zu Covet ins Bistro. Zur Abwechslung gab es dort Telefon. Ich rief die Résidence Montferrier an.

„Auftrag erledigt, Mademoiselle Annie", sagte ich. „Adrien Froment wird sich ganz ruhig verhalten. Neutralisiert. Sie sollten jetzt Montferrier benachrichtigen. Er muß herkommen und die Geschichte ein für allemal in Ordnung bringen."

„Danke, Monsieur Burma", sagte Mademoiselle Annie sanft und legte auf.

Sie konnten alle so sanft sein... wenn sie wollten! Annie... Denise... Monique... Micheline... Und dann wieder... schroff, sachlich... überrascht, wütend... Liebesgeflüster und Todesröcheln... Von Micheline wußte ich's nicht. Von Lucie Ponceau auch nicht. Auf der Leinwand war ihre Stimme sanft. Im Leben war sie's sicher auch gewesen. Aber ich hörte nur ein Flüstern... zwei... eins klang resigniert, das andere verführerisch, hinterhältig, zum Kotzen. Ich schüttelte mich, den Hörer noch immer in der Hand. Ich legte ihn wieder auf die Gabel.

Das Schwierigste stand mir noch bevor!

15.

Rauschgift in rauhen Mengen

Wenn man mal einen Flic braucht, ist keiner da. Florimond Faroux bildet da keine Ausnahme. Erst am späten Abend erwischte ich ihn. Dabei lief mir die Zeit davon!

„Was Neues?" fragte ich, als ich zusammen mit Covet sein Büro betrat. Der Journalist ließ mich keinen Schritt mehr alleine tun.

„Nichts", antwortete Faroux.

„Dann bin ich also doch als erster im Ziel!"

„Ach ja?... Sagen Sie, warum haben Sie denn eben wieder in den Klamotten der Toten rumgewühlt?"

„Hatte was Wichtiges vergessen."

„Was?"

„Ein Taschentuch."

„War ein Taschentuch von Ihnen dabei?"

„Nein, eins von Laumier, Filmproduzent. Sie können einen Haftbefehl auf seinen Namen ausstellen. Mord oder Beihilfe, vielleicht beides."

„Was faseln Sie da?"

„Die Wahrheit, nichts als... Aber der Reihe nach. Ihr Jérôme Blanchard, in Personalunion Autodieb und Mörder der kleinen Monique, ist, rein körperlich gesehen... Sie haben die Karteikarte mit seinem Foto wiedergefunden?"

„Ja..."

„Zeigen Sie's mir noch nicht. Er ist groß und dünn, kantige Gesichtszüge, sieht ganz und gar nicht blöd aus. Stimmt's?"

„Kommt hin." Der Kommissar reichte mir die Karteikarte. „Natürlich wieder einer Ihrer Bekannten", seufzte er.

„Ja, aber ich hab's nicht geahnt. Wissen Sie, wer das ist?

Diener, Sekretär, Faktotum, Vertrauter, Berater von Laumier."

Faroux brummte nur vor sich hin.

„Hat man den Komplizen von Melganno identifiziert, der bei dem Überfall erschossen wurde?" fragte ich.

„Keine Ahnung. Ich bin nicht auf dem neusten Stand. Aber Sie, Sie haben ihn doch sicher identifiziert?"

„Ja. Einer aus der Venturi-Bande. Vorname Clovis."

„Sehr schön", sagte der Kommissar erstaunlich ruhig. „Ich nehm an, Sie wollen mir jetzt alles erzählen?"

„Genau."

„Dann mal los."

„Venturi hat den großen Schatz aufgestöbert, das riesige Rauschgiftlager, geklaut von Blanchard & Co. Hab ich ihm auf den Kopf zugesagt, als wir über Lucie Ponceau sprachen. Melganno hat ihn auf dumme Gedanken gebracht. Denn der gehört nicht zu denen, die für nichts und wieder nichts über die Grenze gehen. Melganno ist also im Knast, und Venturi sagt sich: ‚Ich werd ihn befreien'..."

„... und er wird mir dafür den Weg zum Stoff zeigen."

„Warum zum Stoff? Damit hat Venturi nichts mehr im Sinn. Da hat er was Besseres: Wer Rauschgift kaufen will, braucht Geld. Melganno hatte keins bei sich, als er gefaßt wurde, nicht wahr?"

„Jedenfalls nicht die Summe, die für so ein Geschäft nötig ist. Das hätte man gehört."

„Eben. Für die Summe muß ein Straßenfeger lange fegen... Also sitzt irgendwo einer, der aufs Geld aufpaßt. Melganno muß wissen, wo Geld und Stoff sind. Venturi schnappt sich Melganno – das war eher 'ne Entführung als ein Ausbruch! – und kann sicher sein, irgendetwas zu kriegen..."

„Ja, ein paar Jahre Knast."

„Seien Sie nicht so kleinlich! Venturi hat sich so was Ähnliches wie ein Treffen zwischen Melganno und Blanchard vorgestellt. Und richtig: Die beiden haben sich getroffen."

„Von wem wissen Sie das? Von Melganno oder Blanchard?"

„Von Monique."

„Hing die auch mit drin?"

„Nein. Und über so ernste Sachen hat sie sich auch nicht unterhalten... als sie noch lebte... Aber ihre Leiche hat's mir verraten... Als sie in meinem Bett lag, wollte sie eigentlich Laumier verführen. Hat sich nur im Zimmer geirrt. Als sie mir zum Abschied sagte: ‚Bis bald, wenn ich meinen Mechano getroffen habe', haben das andere Leute falsch verstanden. Laumier wohnte auf derselben Etage wie ich. Er oder Blanchard, einer von ihnen hat verstanden ‚... wenn ich Melganno getroffen habe'. Als ich meine Tür zugemacht hatte, hörte ich ein flüchtiges Geräusch. Monique konnte noch nicht weit sein. Laumier oder Blanchard ist wohl den Korridor entlanggelaufen, um Moniques Gesicht zu sehen. Ein Mädchen, das bei einem Detektiven war, offensichtlich mit einer präzisen Mission beauftragt. Sie kannten mich nämlich als Leibwächter von Grace Standford, meinten, daß ich im Camera-Club Kontakt zu Laumier gesucht hatte – was nicht stimmt. Vielleicht haben sie mich deshalb beobachtet und belauscht. Am nächsten Abend hat Monique wahrscheinlich einen neuen Versuch gestartet, zu Laumier vorzudringen. Mit Erfolg. Das Tuch in ihrer Rocktasche gehört Laumier."

„Und das Mädchen hat die dunklen Geschäfte mitgekriegt?"

„Ja. Vergessen Sie nicht: das muß an dem Abend besprochen worden sein, als Lucie Ponceau sich mit Opium vollgepumpt hat."

„Und weiter?"

„Das war Beihilfe zum Selbstmord. Dieser Laumier ist bösartig, rachsüchtig. Zwei Beispiele seiner Rache hat er schon geliefert: Firma X... hat ihm Pierre Lunel weggeschnappt. Laumier nutzte es aus, daß der Schauspieler früher mal drogenabhängig gewesen war. Muß wohl nicht besonders schwer gewesen sein, ihm Morphium oder Opium wieder schmackhaft zu machen. Und schon ist Lunel nicht mehr imstande, vernünftig zu arbeiten. Der Film platzt, und Firma

X... ist angeschmiert. Dasselbe Drehbuch beim Schauspieler Morgues, mit einer kleinen Variante: Morgues ist Laumier nicht ausgespannt worden, dreht aber mit einem Produzenten, mit dem Laumier wahrscheinlich im Clinch liegt. Der schwache Punkt dieses neuen Produzenten ist Morgues, früher mal rauschgiftsüchtig, wie Lunel. Man besorgt ihm das Nötige, damit er für die Dreharbeiten ausfällt. Laumier ist ein Geizhals, aber wenn er sich rächen will, vergißt er seinen Geiz... Von der Zeit an hat er mit Blanchard gemeinsame Sache gemacht. Blanchard lieferte ihm wohl den Stoff. Nach seinem großen Coup auf Kosten der anderen Dealer haben die beiden sozusagen eine Handelsgesellschaft gegründet."

Faroux strich sich den Schnurrbart glatt.

„Und Lucie Ponceau?" erinnerte er mich an unser eigentliches Thema.

„Er war neidisch auf ihr Combeback. Machte sich ihre depressiven Neigungen zunutze und half ihr, sich ins Jenseits zu befördern. Die Schauspielerin hatte mit den Rauschgifthändlern nichts zu tun."

„Hm... Also, dann haben sie darüber geredet, und Monique hat das mitgekriegt..."

„Ja. Wie Jules Rabastens. Er wollte besser sein als Marc Covet, der Herr hier. Wollte mir nützlicher sein. Hat nicht ganz geklappt..."

„Hm...", brummte Faroux wieder. „Und wo soll das Ihrer Meinung nach passiert sein? Im Cosmopolitan etwa?"

„In Neuilly, in einer Villa, *Les Pins Parasols*. Gehört Denise Falaise. Sie werden es sich bestimmt nicht nehmen lassen, dort hinzufahren und mein Geschwätz zu überprüfen."

„Oh ja! Ich glaub, da gibt's 'ne Menge zu überprüfen. Denise Falaise! Hängt die denn wenigstens mit drin?"

„Spricht nichts dafür. Sie können sich ja vorstellen, daß Laumier & Co. sie nötigenfalls leicht woanders unterbringen konnten."

„Zum Glück für sie. Aber... Ich weiß nicht, wo Monique umgebracht worden ist. Gefunden haben wir sie ja in Ihrem

Kofferraum... Rabastens jedenfalls hat man bei sich zu Hause abgeschlachtet. Natürlich sind Sie wieder mal schlauer als ich..."

„Nicht traurig sein, Kommissar. Wie Sie wissen, ist Rabastens in Raten getötet worden, wenn ich mal so sagen darf. Erst hat er eins draufgekriegt, damit er sich schön ruhig verhält. Aber er ist wieder zu sich gekommen und konnte abhauen. Anstatt die Flics zu alarmieren, läuft er zu sich nach Hause. Beruflicher Ehrgeiz. Wollte das, was er erfahren hatte, so schnell wie möglich zu Papier bringen. Blanchard merkt irgendwann, daß Rabastens verschwunden ist. Seine Adresse kennt er aus den Papieren, die der Journalist bei sich hatte. Also rast er zu ihm, verpaßt ihm den zweiten Schlag und schickt ihn damit zum Vater im Himmel."

„Hm..." Faroux brummte heute oft „... Hm... Und Monique? Wie kam sie in den Kofferraum?"

„Ganz einfach. Die Leiche wird in *Pins Parasols* gelagert – schön kühl im Eisschrank, warum nicht? Da ergibt sich eine gute Gelegenheit, mir einen üblen Streich zu spielen. Und zwar folgendermaßen: Ich besuche Laumier im Studio. Mein Besuch trifft ihn unvorbereitet. Er läßt mich warten, länger als nötig. Warum? Um seinen Ratgeber ranzupfeifen, den eigentlichen Chef, Diener Jean alias Jérôme Blanchard. In seinem Beisein serviert mir Laumier die Geschichte von seinem tyrannischen Eheweib und seinem Verdacht, den er mir gegenüber hat. Ich fall drauf rein, weil ich noch nicht weiß, daß seine Frau seit Januar im Ausland ist. Ich weiß nicht, ob sie kapieren, daß ich einfach nur auf Laumiers Telefonanruf reagiert habe – verspätet –, als alles noch ruhig war. Ich suchte nichts Konkretes. Sie waren es, die sich da was zusammengebraut hatten. Jedenfalls stell ich in ihren Augen eine Gefahr dar. Das beste Mittel, mich unschädlich zu machen, ist eine Leiche in meinem Kofferraum. Wenn die Flics sie entdecken, ziehen sie mich für 'ne Weile aus dem Verkehr. Blanchard ist kein Angsthase. Einer, der manchmal schnelle Entschlüsse faßt. Auf leisen Sohlen verläßt er das Studio, ruft dann Laumier an und gibt Anweisung, mich so lange wie möglich festzuhalten. Schwitzend und schnaufend, krebsrot im Gesicht, erledigt Laumier diese relativ einfache Aufgabe. Ich seh mir das Schauspiel an. In der Zwischenzeit rast Blanchard mit meiner Kiste nach *Pins Parasols*, packt Moniques Leiche in den Kofferraum, rast zurück und stellt den Wagen wieder auf das Studiengelände. Der Wachhund am Tor wacht wirklich nur auf, wenn Fremde auf den Innenhof wollen. Laumier, krank vor Angst, völlig fertig von der Anspannung, unterbricht die Dreharbeiten, und ich fahr weg... mit Monique als blindem Passagier. Noch bei mir im Hotel werd ich das Gefühl nicht los, Leichengeruch an mir zu haben... von Rabastens.“

„Hm“, machte Faroux. „Und der Autodiebstahl? Oder gab's keinen?“

„Es gab einen. Aber damit hat Venturi nichts zu tun. Wenn Sie den zweiten Kerl mit den passenden Fingerabdrücken, Poirier oder so...“

„Pommier.“

„Pommier, ja. Wenn Sie den also geschnappt haben, werden Sie sehen: der hat meinen Wagen geklaut. Als er merkte, was er mit sich rumfuhr, hat er Wagen samt Leiche stehen- und liegenlassen.“

„Enorm!“ bemerkte Covet.

„Und so unerwartet“, fuhr ich fort. „Für Blanchard. Das zerstreut den Verdacht. Und gestern dann, als ich zur Villa *Pins Parasols* komme, wird er nervös. Würd mich gerne loswerden, wenn da nicht – Gott sei Dank! – diese Blödmänner ständig aufs Grundstück starren würden, um eine Hautfalte von Denise Falaise zu erspähen.“

„Wo ist sie denn, diese Falaise“, erkundigte sich Faroux.

„An der Côte d'Azur. Mit Montferrier...“

Ich erklärte Ziel und Absicht des Ausflugs.

„Und Ihr Purzelbaum an der Place de l'Alma?“

„Bestimmt Blanchard. Wollte seine Schlappe vom Nachmittag wiedergutmachen.“

„Hm... Also, Sie meinen, Blanchard und Laumier machen gemeinsame Sache?"

„Ja. In einem andren Kreis, beim Film, konnte Blanchard sich unerkannt bewegen. Was ihn nicht daran hinderte, in Sachen Rauschgift seine Fühler auszustrecken, zur Unterwelt im Ausland. Laumier dachte bestimmt, das Ergebnis der Aktion könnte es ihm ermöglichen, Montferrier und alle andern Produzenten mit dem dreidimensionalen Verfahren an die Wand zu drücken. Aber stattdessen hätte er wohl nur ein kleines Loch abgekriegt. Hab den Eindruck, in den kühlen Augen des Monsieur Blanchard zählt das menschliche Leben einen Dreck... Na ja, Melgannos Verhaftung hat alles über den Haufen geworfen. Und durch Nestor Burmas Auftritt wurde nichts wiederaufgebaut. Nun, Kommissar, sehen Sie klar genug, um zur Tat zu schreiten?"

„Hm..." brummte er nur. „Das ist ja alles ganz schön und gut. Aber erst mal muß so einiges überprüft werden. Tja, und zur Tat schreiten..."

Er stand auf und ging zum Fenster.

„Jetzt ist es Nacht", sagte er. „Die legale Uhrzeit für solche Aktionen ist vorbei."

„Die legale Uhrzeit?" fuhr ich auf. „Die gehen uns durch die Lappen, Faroux! Na ja, mir kann's egal sein... Aber ich dachte, Sie hätten hier mitteleuropäische oder südamerikanische Zeit, Uhren, die nur die legale Uhrzeit anzeigen, nichts als die legale Uhrzeit..."

„Tja, zwei oder drei solcher Uhren hab ich tatsächlich", gab der Kommissar lächelnd zu. „Aber nur für ganz besondere Ausnahmefälle. Was ich tun kann... Schließlich ist es eine schöne, milde Nacht... Auch ein Flic darf so eine Nacht genießen. Kommen Sie, wir unternehmen eine kleine Spritztour in den Bois de Boulogne. Das ist immer nett."

Es wurde sehr nett.

* * *

Wir fuhren durch die sternklare, mondlose Nacht in Richtung *Pins Parasols*. Marc Covet, Florimond Faroux, Inspektor Fabre und ich. Fabre saß am Steuer. Plötzlich wären wir um ein Haar in ein andres Auto gerast. Der Kerl auf der Gegenfahrbahn fuhr im Zickzack, daß es nur so eine Freude war, schoß auf den Graben zu und versperrte die Straße. Inspektor Fabre hupte energisch. Keine Reaktion. Wir mußten anhalten.

„Was soll der Scheiß?" schimpfte Faroux. „Werd mit dem besoffenen Kerl mal 'n paar passende Worte reden."

Er stieg aus und ging zu dem Wagen. Ich hinterher. Der Wagen war ein aufsehenerregendes Modell. Der Mann, der leblos über dem Steuer hing, war's ebenfalls gewohnt, Aufsehen zu erregen.

„Großer Gott! Burma!" rief der Kommissar. „Könnte Ihr Klient sein."

„Ja", bestätigte ich. „Tony Charente."

„Was veranstaltet der denn hier?"

„Fragen wir doch mal."

Ich öffnete die Wagentür. Eine runde Metalldose, eine Filmrollendose, fiel mir auf die Füße. Ich hob sie auf und legte sie neben Tony Charente auf den Sitz. Dann schüttelte ich den Schauspieler.

„Was hat er denn an den Knöcheln?" fragte Inspektor Fabre, der uns mit Marc Covet gefolgt war.

Ich sah nach unten.

„Ein Strick", stellte ich fest. „Ein kaputter Strick."

„Und dabei dreht er doch im Moment gar keinen Film."

„Hab die Schnauze voll vom Film!" knurrte Faroux.

Ich schüttelte immer noch den Liebling aller Frauen. Endlich öffnete er ein Auge, dann das andere, schloß beide wieder und stöhnte auf.

„Clovis weilt nicht mehr unter uns", sagte ich „Aber trotzdem gibt's noch Keulenschwinger."

Tony Charente öffnete jetzt endgültig die Augen und warf einen fragenden Blick um sich.

„Scheiß-Diener", schimpfte er und faßte sich an den Kopf. „So zuzuschlagen."

„Erkennen Sie mich?" fragte ich.

Er gähnte.

„Salut, Burma."

„Wollen wir Laumier einen Besuch abstatten?"

„Hören Sie mit diesem Scheißkerl auf."

„Sie stinken nach Alkohol."

„Ja und? Verboten?"

Mit großer Mühe kletterte er aus dem Luxusschlitten. Die Filmrollendose klemmte er sich unter den Arm.

„Ah", sagte er, „frische Luft. Das tut gut."

So originell wie bei seinen Filmdialogen.

„Was ist das da?" wollte Faroux wissen. Vielleicht hielt er die Dose für einen Riesen-Camembert.

„Finger weg!" knurrte der Schauspieler, mit einem Mal wieder wütend. „Laumiers Werk. Seine Filmrollen. In der Villa liegt 'n ganzer Haufen davon. Als ich abgehaun bin, hab ich zwei oder drei mitgehen lassen. Die andern hab ich wohl unterwegs verloren. Hier, was ich damit mach, mit Laumiers Arbeit. Mit seinen Scheißfilmen!"

Bevor wir ihn davon abhalten konnten, öffnete er die Dose in der Absicht, den Film zu vernichten. Der Deckel rollte lärmend über die Straße.

„Was ist das denn..." stammelte Tony Charente.

Die Dose fiel ihm aus der Hand. Kein Zentimeter Zelluloid war drin. Dafür war die Dose randvoll mit Rauschgift.

Paris...

... kann man nicht aus Büchern kennenlernen. In dieser Stadt muß man leben, muß mit ihr aufwachen und mit ihr schlafen gehen, um ihren unvergleichlichen Charme ganz in sich aufzunehmen.

Paris hat viele Gesichter. Ob es die Champs-Élysées sind mit ihren Nobel-Boutiquen und teuren Einkaufspassagen oder die Künstlerquartiere am linken Seine-Ufer: Diese Stadt ist zu jeder Jahreszeit eine Reise wert.

Wenn es für irgend etwas Schönes zu sparen lohnt: Für Paris immer.

16.

Der Tag geht zu Ende

Tony Charente saß auf dem Sofa in seinem sonnendurchfluteten Bungalow. Er hatte kaum was an, dafür aber einen Turban aus feuchten Handtüchern. Das Luxushündchen wurde von ihm gegen den Strich gestreichelt und wedelte still zufrieden mit dem Schwanz. Micheline, zur Krankenschwester des berühmten Mannes avanciert, sagte auch nichts.

„Ein erstklassiges Versteck", bemerkte der Schauspieler.

„Kommissar Faroux ist ins Studio gefahren und kassiert die Sendung ein, die vor kurzem gekommen ist."

„Gut, daß Sie dabei waren. Hätte übel ausgesehen: ehemaliger Rauschgiftsüchtiger fährt mit Stoff durch die Gegend!"

„Hat's zuerst auch, aber nicht lange. Jetzt sind Sie ja wieder zu Hause. Noch ein Schluck Mineralwasser?"

Er reichte sein Glas rüber.

„Hab den Flics erklärt, wie das wohl abgelaufen sein muß", sagte ich und goß mir auch was ein, allerdings eine weniger langweilige Flüssigkeit. „Hab ihnen erzählt, daß es Ihnen quer runterging, zusammen mit Denise Falaise vor der Kamera zu stehen. Sie dachten, Laumier, dieser verschlagene Kerl, wär der Drahtzieher bei dem Spielchen. Also besorgen Sie sich seine Adresse, saufen sich Mut an und fahren zu ihm, um Ihre Wut an ihm auszulassen. Aber bei Laumier sind aufdringliche Menschen seit ein paar Tagen ziemlich unbeliebt. Also zieht man Ihnen eins mit dem Knüpel über den Schädel und legt sie irgendwohin, gefesselt ... Sie können sich befreien und abhaun. Sind vorsichtig genug, um keine Revanche zu fordern, wütend genug, um dem Schwein Laumier eins auszuwischen, und blöd genug, um nicht zu merken, was Sie da mit sich rumschleppen."

„Was ist denn hinterher noch passiert? Ich bin nämlich immer noch etwas benommen..."

„Das Rauschgift hat Faroux belebt. Sein Inspektor mußte Verstärkung anfordern. Die Villa wurde umstellt. Dann schickte Faroux mich auf Erkundung. Manchmal sind Privatdetektive auch zu was nütze. Die Herren hielten Kriegsrat: Laumier, Blanchard, Melganno, Albert, der Freund von Venturi, und noch zwei andere, die ich nicht kannte. Kein Venturi. Bei ihm hab ich mich wohl getäuscht. Die Befreiung von Melganno haben Albert und Clovis besorgt. Venturi hat sich anscheinend schnellstens verzogen, um nicht mit reingezogen zu werden. Erfahren wir noch genauer, wenn er geschnappt wird. Also, unsere Verbrecher redeten sich die Köpfe heiß. Ich glaub, die wollten sich alle gegenseitig übers Ohr haun. Irgendwann ist ein Wagen rausgefahren. Kam nur bis zur ersten Polizeisperre. Albert und die beiden Unbekannten. Bei Tagesanbruch hat Faroux zum Angriff geblasen. Melganno und Laumier haben keinerlei Widerstand geleistet. Blanchard hat versucht zu fliehen. Man hat das Feuer auf ihn eröffnet, er hat's erwidert. Bevor er verletzt wurde, hat er einen Flic und Laumier niedergeschossen. Den Flic, glaub ich, eher zufällig. Der wird's überstehen. Aber Laumier... Laumier nicht. War verdammt gut gezielt."

„Ah!"

„Dieser Blanchard war 'ne richtige Tötungsmaschine. In der Villa sind verdächtige Spuren gefunden worden, die höchstwahrscheinlich mit dem Tod von Rabastens und Monique in Zusammenhang stehen."

„Arme Monique!" sagte Micheline seufzend.

„Und an Blanchards Wagen", fuhr ich fort, „sind Spuren eines Zusammenstoßes. Er war's also tatsächlich, der mich in die Baugrube geschickt hat."

Tony Charente hüstelte.

„Und was ist mit Denise Falaise?" fragte er.

„Das werden wir heute nachmittag wissen. Montferrier bringt sie im Flugzeug zurück. Ich glaub, man wird ihr nichts

vorwerfen können. Höchstens ihren schlechten Umgang. Sie
wußte wahrscheinlich von all dem nichts."

„Letztlich bringt ihr das Publicity ein!" knurrte der Schauspieler. „Oder..." Trotz seiner Kopfschmerzen, vom Kater
und von dem K.-o.-Schlag, strahlte er übers ganze Gesicht.
„... Oder sie kriegt die nächste Depression!"

„Ja", sagte ich. "Ihre nervöse Depression."

* * *

„Wunderbar!" rief Montferrier zum zehnten Mal. „Daraus
könnte man einen Film machen!"

Seine Augen glänzten hinter den Brillengläsern. Er zog wie
besessen an seiner Pfeife. Wir saßen alle zusammen – unser
Gastgeber, seine Sekretärin, Tony Charente und Denise
Falaise – Micheline war im Bungalow geblieben – wir saßen
alle in einem hellen, weitläufigen Raum seines kubistischen
Schlosses. Vor unserer Nase erfrischende Getränke, vor unse-
ren Augen im Park Blumen in Technicolor. Ich hatte die
Anwesenden gerade mit einem Bericht Marke Nestor Burma
bedient, den der Produzent, halb im Ernst, halb im Scherz, als
Vorlage für einen Film nehmen wollte.

„In dem mein Wagen mitspielt", forderte ich.

„Und Sie."

„Ach, ich brauch jetzt hauptsächlich Urlaub."

Montferrier sah Denise Falaise an. Sie war blaß, sah mitgenommen aus.

„Meine arme Kleine", bedauerte er sie. „Sie müssen sich
auch erst mal ausruhen. Ich verstehe nicht, wie Sie mit solchen
Leuten zusammensein konnten..."

„Oh, bitte..." flehte sie.

Ich kam ihr zu Hilfe:

„Ach, wissen Sie, Mörder und Diebe sind zunächst sehr
anständig. Und solange die Bombe nicht platzt, kann man sie
von friedlichen Durchschnittsbürgern nicht unterscheiden.
Jeder kann sich mal irren."

„Danke, Monsieur Burma", hauchte Denise Falaise.

Und sie warf mir durch ihre langen Wimpern einen vielsagenden Blick zu, voller Dankbarkeit. Im Nebenzimmer klingelte das Telefon. Mademoiselle Annie ging an den Apparat und kam kurz darauf wieder.

„Monsieur Froment", sagte sie.

„Ah!" stöhnte der Produzent und stand auf. „Die Geschäfte lassen einen nicht los. Ich geh ran, Annie. Aber Sie bleiben hier. Ich möchte diesen Vertrag nochmal durchsehen... Sie sollten sich hinlegen", sagte er zu dem blonden Star.

„Ja... vielleicht."

„Ich geh zum Bungalow", verkündete Tony Charente.

„Ach ja, da wartet jemand auf Sie", sagte Montferrier lächelnd. „Mein Lieber, solange Sie nur solche Dummheiten begehen... Mein lieber Burma, entschuldigen Sie mich bitte, aber wenn Ihnen der Sinn danach steht, meinen Weinkeller zu leeren... Fühlen Sie sich wie zu Hause!"

Ich blieb allein mit Denise Falaise zurück. Sie stand am offenen Fenster und sah in den Park. Schmetterlinge flatterten von Blüte zu Blüte. Eine Taube gurrte, Vögel zwitscherten. Ich nahm die eiskalte Hand der Schauspielerin. Dann schob ich meine Hand ihren Arm hinauf und begann, ihre Bluse aufzuknöpfen. Bis jetzt hatte sie reagiert wie ein Stück Holz, stumm und starr. Sie sagte noch immer nichts, begann aber, sich leicht zu wehren. Ich zog an dem Stoff, zerriß ihn. Über der rechten Brust war die Narbe zu sehen. Sie war wunderschön. Die Brust.

„Besser, ich wär blind", sagte ich. „Wenn ich das nicht gesehen hätte, würde Rabastens noch leben."

Sie blieb immer noch stumm. Ihre Brust hob und senkte sich. Kein Versuch, die Bluse wieder in Ordnung zu bringen. ich legte ganz sanft den Finger auf die Narbe.

„Zwischen dem 10. und 15. Januar, nicht wahr? Am 12., um genau zu sein. Und nicht, weil Sie auf die Kleine eifersüchtig waren, die mit *Diese Nacht gehört mir* soviel Erfolg hatte. Aber trotzdem aus Eifersucht. Eifersucht von Rolande Laumier, die sich diesen Tag für einen Skandal ausgesucht hat. Die Sie und Laumier erwischt hat. Sie wurden nur von einer verirrten Kugel verletzt. Aber Rolande Laumier ist dabei getötet worden. Dieser talentierte Blanchard sollte die Leiche ordentlich verschwinden lassen. Dadurch hatte er Laumier endgültig in der Hand. Übrigens, Blanchard wird nicht singen. Ein harter Bursche. Aber Laumier hätte wahrscheinlich geredet. Und deswegen hat Blanchard ihn abgeknallt..."

Denise Falaise blieb weiterhin stumm. Ein Schmetterling flog durchs Fenster, machte eine Runde durchs Zimmer und flog wieder hinaus in den sonnigen Park.

„Eifersucht ist eine beschissene Sache", fing ich wieder an. „Lucie Ponceau verletzte Ihre Eigenliebe zwar nicht..."

Sie begann zu zittern, atmete immer heftiger.

„... aber sie verkörperte all das, wozu Sie es nie bringen werden. Sie kam wieder aus der Versenkung. Aber trotz des Triumphes zweifelte sie an sich selbst. Außerdem war sie leichtgläubig. Es war so einfach, sie zu bestärken... und ihr den Absprung ins Jenseits zu erleichtern. Ich höre förmlich, wie Sie ihr zuflüstern, sie habe ja völlig recht... es sei so einfach... und sanft... mit Opium. Und später haben Sie dann bei Ihr angerufen, um rauszukriegen, ob Sie's geschafft hatten. Als Sie eine Männerstimme hörten, legten Sie auf..."

Immer noch nichts. Keine Reaktion. Sie hatte die Augen geschlossen. Ihre Lippen waren eine blutrote Linie. Nur ihre Brüste bewegten sich.

„... Ihr Triumph war leider nur von kurzer Dauer. Ihr Geniestreich hat Blanchard gar nicht gefallen. Der war sowieso schon mit den Nerven runter, weil seine Geschäfte schlecht liefen. Und dann kam zu allem Überfluß noch Rabastens. Hatte mitgekriegt, daß ich mich für Sie interessierte. Wollte glänzen und schnüffelte herum, mehr als es gesund für ihn war. An jenem Abend wurde ausgepackt. Die Unvorsichtigen wurden für immer zum Schweigen gebracht. Rabastens war zu neugierig gewesen und Monique zu gierig. Wollte Laumier an der Angel halten, wo sie es endlich geschafft hatte...

Und da hat Sie die Angst gepackt, und Sie sind mit Montferrier abgehauen. Weniger, weil er Ihnen einen Vertrag in Aus-
sicht gestellt hatte, sondern mehr, um dieser ehrenwerten
Gesellschaft zu entkommen... und den Folgen ihres Verbre-
chens. Aber die Angst hat Sie gepackt... und wird Sie nie
mehr loslassen."

Sie bewegte sich ein wenig, öffnete die Augen und sah mich
lange an. Ich hatte aber nicht das Gefühl, daß sie mich tatsächlich sah. Ihre Brust war immer noch entblößt, stolz, voller
Leben. Kaum zu glauben, daß diese Brust und dieses Gesicht
zu demselben Menschen gehörten. Das Gesicht war starr,
aschfahl, tot.

Ich wandte meinen Blick ab, sah auf den eleganten, friedlichen Park. Da erkannte ich zwei Gestalten auf der majestätischen Allee.

„Die Flics", murmelte ich. „Faroux ist nicht zufrieden mit
dem, was ich ihm erzählt habe..."

Ich verkniff mir die Bemerkung, daß sie übel mit ihr
umspringen würden. Daß sie sich an ihr rächen würden. Jung,
schön, begehrenswert. Und ihre Frauen alt, häßlich, abstoßend...

„Die Flics", wiederholte ich.

Sie ging nicht darauf ein. Ich sagte auch nichts mehr. Hatte
nichts mehr zu sagen. Langsam, ganz ruhig brachte sie ihre
Bluse wieder in Ordnung. Dann sah sie mir ins Gesicht.

„Du Hurensohn!" fauchte sie, und ihre Stimme überschlug
sich.

Dann verpaßte sie mir eine kräftige Ohrfeige.

Ohne Eile ging sie zur Tür, die geöffnet wurde, bevor sie
dort angelangt war. Im Türrahmen erschien eine knochige
Gestalt: Florimond Faroux.

„Ich wollte Sie sehen", sagte er.

Ich dagegen wollte niemanden mehr sehen. Schnell drehte
ich ihnen den Rücken zu.

Paris, 1956

Nachgang

Wenn das Herz Frankreichs in Paris schlägt (wo sonst?), wenn der Bauch von Paris längst leergepumpt ist, die legendären Hallen also in den Vorort Rungis ausgelagert wurden, wenn der Zahn der Zeit an allen morschen Gliedern der französischen Hauptstadt nagt – wohin und wie weit sollen die Füße tragen?

Der Puls schlägt an den Champs-Elysées. Schnell und regelmäßig. Das achte Arrondissement ist ein Viertel mit hohem Blutdruck. Es ist eine der großen Verkehrsadern von Paris. Man mag Schleichwege wählen, wenn man mit dem Wagen von der Rive Gauche, dem linken Ufer, zur Rive Droite fahren will, der rechten Seine-Seite, meist gerät man doch in den Kreislauf am Arc de Triomphe, den zu umrunden eine Art Reifeprüfung erfordert im hektischen Verkehrstreiben, in dem das Ampellicht vergeblich Ordnung leuchten will, da es, auf rot geschaltet, dem Pariser doch nur als Auffor-

Die Champs-Elysées und der Arc de Triomphe.

derung zu sportlicherem Fahren gilt und der nur scheinbar charmant stockwedelnde Flic zur lächerlichen Randfigur gerät, da bestenfalls Touristen auf ihn achten.

Die Champs-Elysées kann und will man ja auch nicht außer acht lassen, wenn man dieses Viertel durchquert, auf Nestor Burmas Spuren.

Schnurgerade ziehen sich die Elyseeischen Felder von der Place de la Concorde zum Arc de Triomphe, der Etoile, dem zu Recht so genannten Stern also, und da man ja einen Platz mit dem Namen des Generals versehen wollte, so heißt er denn heute offiziell Charles de Gaulle, auch wenn dies eben nur offizieller Sprachgebrauch ist und wohl auch bleiben wird.

Soll man die Champs-Elysées nun hinaufwandern, fast 350 Bäume auf jeder Seite zählend, oder aber hinab, was nicht viel lustiger ist?

Es war, es ist und es bleibt eine Pflichtübung. Der gute alte Nestor konnte nicht umhin, da es sich sein Ziehvater Léo Malet nicht anders ausdenken wollte, die sogenannte Prachtstraße zur Kulisse zu wählen. Dabei sind die Elyseeischen Felder den Gefilden der Seligen längst entrückt. Das mythologische Vorbild sahen Vergil und Plutarch im Erdkern, Platon am anderen, noch unerforschten Ende der Welt.

Die Pariser Champs-Elysées hatte Maria von Medici, die Gattin Heinrichs IV. und Mutter Ludwigs XIII., anlegen lassen. Sie trugen damals den Namen „Grand Cours" (Großer Korso). Viel später erst, im zweiten Kaiserreich zur Mitte des 19. Jahrhunderts, wurden sie eine Promenade à la mode.

Heute findet der Bummelant ein grelles Gemisch vor aus Licht und Lärm, 1880 Meter lang, voller Geschichte und Geschichten. Hier feiert Frankreich am 14. Juli seinen Nationalfeiertag. Hier haben preußische, britische und russische Truppen nach dem Sieg über Napoleon ihre Zelte aufgeschlagen, hier war um die Jahrhundertwende der Treffpunkt der Belle Epoque. In den Parkanlagen spielte der junge Marcel Proust und Balzac hatte hier eines seiner zahlreichen Ver-

Das Fouquet's, an den Champs-Elysées, eines der berühmtesten Cafés von Paris.

stecke, um seinen noch zahlreicheren Gläubigern zu entgehen.

Heute an den Champs-Elysées zu wohnen, gilt längst nicht mehr als Nobeladresse. Dort zu arbeiten (oder arbeiten zu lassen) freilich schon. Denn an den Champs-Elysées werden in erster Linie Geschäfte gemacht. Industriekonzerne haben dort ihr Büro, Banken und Versicherungen, Fluggesellschaften und Autofirmen. Daneben rangieren Boutiquen, oft ein wenig in den zahlreichen Passagen versteckt. Juweliere haben sich hier eingenistet und die Modehäuser. Was in den inzwischen weit vornehmeren Seitenstraßen entworfen wird, ist hier zu kaufen.

Die Champs-Elysées als klischeehaftes Schaufenster des luxuriösen Paris. Ein Hauch von Exhibitionismus. Mit dabei die modernen Marketender. Wer gut kauft, will auch gut essen. Und wer gut und teuer gegessen hat, will auch gut (und

171

„. . . Monique und Micheline sollen sich ständig in einem dancing her-
umtreiben, unter den Arkaden des Lido . . .“

notfalls teuer) unterhalten werden. Die Touristen-Falle Pigalle läßt grüßen. Glanz und Glimmer beherrschen die Szene, wenn die großen Bürohäuser die Türen geschlossen haben. Aber bei den Parisern selbst haben die Champs-Elysées an Kredit verloren. Sie sind staatenlos geworden, fest in der Hand der Ausländer, des Business und der Touristen.

Die Kosten sind hoch. Selbst für kleinere Läden liegen die Jahresmieten selten unter 100 000 Mark. Nebenkosten nicht eingerechnet. Versicherungs-Prämien, Wachdienste, Energiekosten usw. Einen Versandhandel kann man auch an der Peripherie ansiedeln – die Champs-Elysées sind auf Laufkundschaft angewiesen. Aber, so klagt ein Einzelhändler, den ich darauf anspreche, es ist keine elyseeische Kundschaft, was immer er damit meinen mag.

Es ist eben schon lange nicht mehr nur der Luxus, der sich hier festgesetzt hat. Sterile Kino-Paläste sind entstanden und vor allem Schnellimbiß-Buden. Das lockt jugendliches Vorstadt-Publikum an mit viel Unternehmungsgeist, aber wenig Geld in den Taschen. Und das ist den Pelz-Boutiquen und den kleinen feinen Läden mit den teuren Stoffen und dem noch teureren Schmuck ein Graus. Und weil die einen mit den anderen nichts anzufangen wissen, gehen die Geschäfte nicht mehr so gut und es kommt verstärkt zu Aggressionen. Nicht nur im Dunstkreis von Nestor Burma.

Aber das ist nicht neu. Noch zu Beginn des vorigen Jahrhunderts galt das Viertel als gar nicht gut beleumundet. Die noble Avenue Montaigne, in die Malet den Camera-Club plazierte, hatte damals den Beinamen ‚Witwen-Allee‘, wobei durchweg lustige Witwen gemeint waren. Heute ist die Avenue Montaigne eine der allerbesten Wohnadressen von Paris. Wer es sich leisten kann, steigt in der Luxus-Herberge Plaza-Athénée ab, Dior und andere Mode-Zaren sind nur ein paar Schritte entfernt und da, wo die Montaigne auf die Place de l'Alma mündet, da wohnt hinter meist geschlossenen Vorhängen die greise Marlene Dietrich, von der das Gerücht geht, sie melde sich am Telefon als ihre eigene Haushälterin, deren Auf-

Das Crazy Horse, eines der renommiertesten Nachtlokale von Paris.

„Adrien Froment wohnte im Erdgeschoß, neben einem baumbepflanzten Hof. Das Haus sah aus wie ein ehemaliges Botschaftsgebäude, das jetzt in ein Mietshaus umgewandelt worden war."

gabe es ist, Madame vor aufdringlichen Journalisten zu schützen.

Am Alma-Platz findet sich noch immer das Café-Restaurant „Chez Francis". Hier spielt der erste Akt von Jean Girodoux' Bühnenstück „Die Irre von Chaillot". Hinter der Place de la Reine-Astrid verdecken hohe Bäume ein gediegenes Haus. „Es sah aus wie ein ehemaliges Botschaftsgebäude, das jetzt in ein Mietshaus umgewandelt worden war. Adrien Froment wohnte im Erdgeschoß, neben einem baumbepflanzten Hof." Bei Malet läßt sich oft gut leben. Entweder ortet er seine Figuren in abbruchreifen Steinbuden am Rand dunkler Hinterhöfe oder aber er vermacht ihnen Patrizierhäuser, wobei Gut und Böse so leicht nicht zu trennen ist und gemordet wird völlig unabhängig vom jeweiligen Interieur.

An der Seine entlangzuspazieren ist kein reines Vergnügen mehr. Die Ufer-Promenade ist heute ein Auto-Schnellweg – auf der anderen Seite der Alma-Brücke laden die ‚Egouts', die Pariser Kanalisationsanlagen zum strittigen Vergnügen einer eingehenden Besichtigung. Der Darm von Paris, wie Spötter die abwässrige Unterwelt der Stadt nennen, in Anlehnung an den Bauch von Paris, die abgerissenen Hallen.

Mehr als zwei Dutzend Brücken führen in der Innenstadt über die Seine und es ist müßig zu streiten, welche denn nun die schönste von allen sei. Von ganz besonderer Pracht ist gewiß der Pont Alexandre III im reinen Belle-Epoque-Stil, zu dem der russische Zar Nikolaus II. den Grundstein gelegt hat. „Typisch 1900", wie Burma notiert, „mit seinen goldenen Göttinnen, die oben auf den Säulen die Trompeten ansetzen und gleichzeitig die feurigen geflügelten Pferde im Zaum halten."

Am Grand Palais vorbei, wo bei großen Ausstellungen stets lange Menschenschlangen auf den Einlaß warten, gelangt man in nur wenigen Gehminuten wieder zu den Champs-Elysées und stößt, rechts abbiegend, auf die Place de la Concorde, der der russische Revolutionslyriker Majakowski ein Gedicht widmete, in dem es heißt: „Die kandelabernden Leuchten.

Der Pont Alexandre III an der Seine. Im Hintergrund der Eiffel-turm.

Ein Platz, daß man vor Bewunderung heule. Jede Stadt wär stolz auf dergleichen Schatz. Wär zufällig ich die Vendôme-säule – ich heiratete den Konkordiaplatz."

Das Reiterstandbild Simon Bolivars vor der Ausstellungshalle des Grand Palais.

Hier steht auch der Obelisk aus Luxor, 230 Tonnen schwer, und ein Zankapfel der Stadtarchitekten, die sich vor jetzt genau 150 Jahren die Köpfe heißgeredet hatten, wohin man mit dem exotischen Import aus Ägypten eigentlich hin wolle. Erbittert hatte der Baron Haussmann, der später für radikale Kahlschläge im Stadtbild sorgen sollte, gegen seinen Standort gewettert. Das Monstrum verstelle den Blick zum Arc de Triomphe, mäkelte er, aber die Kritik verstummte rasch. Wohl auch unter dem Eindruck der technischen Meisterleistung, die Steinsäule aufzurichten, ohne daß es zu der von vielen prophezeiten Katastrophe kam. So stolz waren die Pariser auf das

177

Blick von der Place de la Concorde zur Kirche Madeleine.

Hochhieven, daß sie den Vorgang nachträglich in den Sockel einmeißelten.

„Schon seit mehreren Monaten geht hier die Rede", hatte Heinrich Heine notiert, „der Obelisk stehe nicht fest auf seinem Postament, er schwanke zuweilen hin und her, und eines frühen Morgens werde er den Leuten, die eben vorüberwandeln, auf die Köpfe purzeln."

Heine kannte sich in diesem Viertel aus. Er hatte die letzten Jahre seines Lebens nach einem Vierteljahrhundert in französischem Exil in seiner „Matratzengruft" in der Avenue Matignon Nr. 3 zugebracht. Aber so elend er auch dahinsiechte, so wohl hatte er sich doch in Paris gefühlt. „Fragt Sie jemand", so hatte er in einem frühen Brief an einen deutschen Freund formuliert, „wie ich mich hier befinde, so sagen Sie: wie ein Fisch im Wasser. Oder vielmehr sagen Sie den Leuten, daß, wenn im Meer ein Fisch den anderen nach seinem Befinden fragt, so antwortet dieser: ich befinde mich wie Heine in Paris."

Noch einmal und wieder einmal führt mich der Weg die Champs-Elysées hinauf zum Triumphbogen. Und allein der Spurensuche zuliebe treibt es mich zum Grabmal des Unbekannten Soldaten. Schließlich hatte sich Burma dort nach einem Schlag auf den Hinterkopf, benommen zwar, aber wieder bei Sinnen, auf den Weg gemacht zum nahegelegenen Cosmopolitan-Hotel.

Der Blick, die Champs-Elysées hinunter, wird von Touristen verstellt. Neun Millionen einundfünfzigtausendundeinhundertfünfzehn Francs hat der Arc de Triomphe gekostet. Damals, als der Franc noch nicht chronisch kränkelnd am Ende einer Währungsschlange herumzukrebsen pflegte. Aber, so hat sich der Paris-Besucher Alfred Polgar gemerkt, „Triumphe, die einen Bogen bekommen, kosten nicht nur viel Geld, sondern auch viel Leben. ‚Mort pour la patrie‘ steht eingemeißelt auf der steinernen Platte. Vielleicht sollte es richtiger heißen: Mort par la patrie." Gestorben also nicht *für*, sondern *durch* das Vaterland. Zwölf Straßen zweigen sternförmig vom Arc de Triomphe in alle Himmelsrichtungen ab. Fast alle sind sie nach (meist siegreichen) Generälen oder nach (stets gewonnenen) Schlachten der Napoleonischen Kriege benannt. Die Avenue Friedland zum Beispiel. Wie kann man, kommt mir in den Sinn, bei Friedland Krieg führen? Der Sieg bei Friedland, so verrät die Historie, bereitete die Einnahme von Königsberg vor, was – wie vergänglich sind doch Kriegserfolge – nicht von ewiger Gültigkeit war.

Nach ein paar Minuten stoße ich auf das Balzac-Denkmal des konventionell arbeitenden Bildhauers Alexandre Falguière. Welchen Wirbel hatte das Bemühen ausgelöst, einem der größten Schriftsteller Frankreichs eine Skulptur zu widmen! Mit Empörung hatte das offizielle Paris den in Auftrag gegebenen Entwurf Auguste Rodins zurückgewiesen, der Balzac in einen Morgenrock gesteckt hatte. Also wurde Falguière damit beauftragt, ein alternatives und respektvolleres Modell zu entwerfen. So sind heute zwei gänzlich verschiedene Balzac-Statuen in Paris zu bewundern, das Rodinsche Monu-

Das Balzac-Denkmal von Alexandre Falguière.

ment am Montparnasse und der nachgefertigte Falguière an der Avenue Friedland.

Die Pariser haben ihren Balzac nicht vergessen. Auch wenn sie ihm, anders als bei Dumas oder Zola, bei Victor Hugo oder Voltaire, keine nach ihm benannte Metro-Station zuteil werden ließen (dem Balzac-Bildhauer Falguière dagegen sehr wohl!). Aber so sehr sich auch vielerlei Episoden seines umfangreichen Romanschaffens nachwandern lassen im glücklicherweise kaum zerstörten Paris (– wenn nicht gerade der erwähnte Baron Haussmann zugeschlagen hatte –), so bleibt doch zu vermerken, daß es zwar das liebevoll ausgestattete Balzac-Haus im 16. Arrondissement gibt, sein letztes Wohnhaus jedoch bald nach seinem Tod abgerissen wurde. Die einflußreiche Familie Rothschild erwarb das Gelände und ließ inmitten eines prächtigen Parks die Villa Rothschild erbauen, bis zum heutigen Tag ein kultureller Treffpunkt der Stadt.

Am 6. Mai 1932 wurde dort während einer Buchausstellung der Präsident der französischen Republik, Paul Doumer, von einem angeblich geistesverwirrten Attentäter, dem Exil-Russen Gorguloff erschossen. Das Motiv der Tat wurde nie geklärt. Es belegt den französischen Sinn für historische Anekdoten, daß die Fensterscheibe, die von der Kugel durchschlagen wurde, nachdem sie Doumer getötet hatte, sorgsam aufbewahrt wurde und noch heute in einer kaum beachteten Vitrine im Treppenflur des Hauses ausgestellt ist.

Die Morde, mit denen unser Freund Nestor Burma in regelmäßigen Abständen konfrontiert wird, machen weniger Schlagzeilen. So findet sich am Wohn- und Sterbehaus des neugierigen Journalisten Jules Rabastens zwar wiederum ein Hinweis auf Balzac – auf den Schriftsteller beruft sich in diesem Fall eine Pizzeria –, nicht aber ein aufklärendes Hinweisschild an der baufälligen Außenwand.

Bliebe vor dem Ausblick auf die Wohnung des Ehepaars Laumier am Boulevard Malesherbes der lohnenswerte Abstecher zum Park Monceau. Kein Wunder, daß Malet der

Das schon etwas ältere Gebäude befand sich fast genau gegenüber des Hôtel Rothschild, Ecke Rue Berryer. Hier wohnte und starb der neugierige Journalist Jules Rabastens.

*In diesem Haus, am Boulevard Malesherbes, wohnten Monsieur und
Madame Laumier.*

Die Kolonnade im Park Monceau stammt aus dem unvollendeten Mausoleum Heinrichs II.

unglücklichen Lucie Ponceau „eine kleine Villa" am Rande des Parks vermacht („Ponceau-Monceau! reimt sich sogar!") Malet notiert: „Ein hübscher Renaissance-Bau, der durch einen kleinen Garten von der Straße getrennt war." Nicht schwer oder zu schwer, dieses Gebäude zu finden. Sozialer Wohnungsbau ist am Rande des Parks nicht angesagt. Es spricht für die großzügigen Gagen, die Lucie Ponceau während ihrer ruhmreichen Zeit eingestrichen haben muß, daß sie dort Domizil nahm.

Der Park selbst ist eine Art Märchengarten. Reizvoller vielleicht noch, skurriler gewiß, als der am linken Seine-Ufer gelegene Jardin du Luxembourg. An die Zeit seiner Entstehung erinnern noch eine ägyptische Pyramide, eine Grotte und schließlich auch ein Teich, der von Säulen umzäunt ist. Der auch und gerade im hektischen Paris so rastlose Kurt Tucholsky hat in diesem Park immer wieder Ruhe gesucht:

184

„Hier ist es hübsch; hier kann ich ruhig träumen.
Hier bin ich Mensch und nicht nur Zivilist.
Hier darf ich links gehn. Unter grünen Bäumen
sagt keine Tafel, was verboten ist.
Die Kinder lärmen auf den bunten Steinen.
Die Sonne scheint und glitzert auf ein Haus.
Ich sitze still und lasse mich bescheinen
und ruh von meinem Vaterlande aus."

Peter Stephan, im November 1986

Anmerkungen des Übersetzers

1. Kapitel:
Diese Falaise ist doch nicht aus Holz: falaise = Steilküste, Fels-klippe, Felswand.
La Paimpolaise: Das Mädchen aus Paimpol (Bretagne).

2. Kapitel:
tabac: Tabakladen, Verkaufsstelle der französischen Tabakregie (häufig in einem Bistro), wo man auch Briefmarken bekommen kann.

4. Kapitel:
Quai des Orfèvres: Sitz der Kriminalpolizei in Paris.
..., der so oft Cambronne zu Hilfe gerufen hatte: Ähnlich wie Götz von Berlichingen ist auch der napoleonische General Cam-bronne in die Geschichte eingegangen. Als ihm nämlich bei Waterloo die Aufforderung zur Übergabe überbracht wurde, soll er mit **merde** (Scheiße) geantwortet haben. (Das Wort Cambronnes)

8. Kapitel:
Morgue:
Leichenschauhaus und gerichtsmedizinisches Institut in Paris.

12. Kapitel:
Vélodrome d'Hiver: Überdachte Radrennbahn in Paris, auch für Eisrevuen etc. benutzt.

Straßenverzeichnis

Inhaltsverzeichnis